Amerikanis

Pat Lauer und Gerald Drews

Amerikanisch
für Angeber

Weltbild Verlag

© 1997 by Weltbild Verlag GmbH, Augsburg

2. Auflage 1999

Umschlaggestaltung und Illustrationen:
Thomas Uhlig, Augsburg

Satz: Cicero Lasersatz GmbH, Dinkelscherben
Druck und Bindung: Presse Druck Augsburg
Printed in Germany
ISBN 3-89604-301-3

Inhaltsverzeichnis

Vorwort

»Du kommst als Retter in der Not,
zeigst der Welt deinen Sheriffstern,
schickst Sattelschlepper in die Nacht,
bringst dich in Stellung,
Amerika, oh, Amerika,
du hast so viel für uns getan,
oh Amerika, tu uns das nicht an.«
        Herbert Grönemeyer, dt. Schauspieler und Sänger, 1984

...land of the free, home of the brave...
...Land der Freien, Heimat der Tapferen ...
(aus der US-amerikanischen Nationalhymne)

Amerika, ein Mythos. Amerika, ein Mahnmal. Amerika, ein Symbol. Was verbinden wir eigentlich alles mit dem Wort »Amerika«? Benannt nach dem Forschungsreisenden Amerigo Vespucci – einem Columbus-Nachfolger – bedeutet »Amerika« hierzulande meist Kontinent und Staat zugleich. Ob Brasilien, Peru, Kanada oder Mexiko: alle gehören unbestritten zum amerikanischen Kontinent, den Kolumbus noch für Indien hielt. (Übrigens: Ein gutes Beispiel für die Theorie, dass auch grandiose Irrtümer Geschichte schreiben können.)
Doch immer häufiger wird das Wort »Amerika« mit einem einzigen Land assoziiert, einem Land, das bis vor wenigen Jahrzehnten noch mit unbegrenzten Möglichkeiten prahlen konnte. Heute steckt es jedoch scheinbar in der **Midlife-Crisis**.
»Ein bisschen früh, oder?«, ist man geneigt zu fragen, denn schließlich beginnt die amerikanische Geschichte für den europäischen Hobby-Historiker erst im 15. Jahrhundert. Doch wie kein anderes Staatengebilde auf der Welt haben die USA es verstanden, ihre Dekaden zu komprimieren, ihre Jahrhunderte atemlos dem Fortschritt zu widmen und den viel zitierten »Zeitgeist« zum missverständlichen Credo der Generationen werden zu lassen.

Und so mag es nicht verwundern, dass das Ende der Fahnenstange scheinbar erreicht ist. Das Geld liegt auch für die Willensstarken nicht mehr in den Schluchten zwischen den Wolkenkratzern und die Legenden vom Tellerwäscher sind längst zu rührenden Geschichten aus einer Jahrhunderte währenden Gründerzeit verkommen.

Nicht dass wir uns missverstehen. Die Vereinigten Staaten von Amerika sind immer noch eine Nation der Superlative, grenzenlos ist nach wie vor ihr Selbstvertrauen. Doch dass der Lack ein bisschen rissig geworden ist, ist nun einmal Tatsache – nix für ungut also, großer Bruder.

Und damit wären wir nun beim eigentlichen Thema dieses Buches – der amerikanischen Sprache und ihren Eigentümlichkeiten. Nun mag der eine oder andere Purist einwenden: »Moment mal. Amerikanisch gibt's doch gar nicht als eigene Sprache. Die sprechen doch alle Englisch!«

Oberflächlich betrachtet stimmt das auch. Doch in den Jahrhunderten der Unabhängigkeit vom kolonialen Mutterland hat sich die Sprache der Amerikaner verselbstständigt. Sie hat ein Eigenleben bekommen und glänzt heute mit einer Vielfalt, die man im Englischen vergeblich sucht.

Das hat nicht nur Vorteile: Während man dem Bürger von Boston beinahe den distinguierten Briten abnehmen möchte, haben selbst linguistische Chamäleons echte Schwierigkeiten, dem gedehnten Singsang des eingeborenen Texaners zu folgen. Von Alaska bis Alabama, von Kansas bis Kalifornien, von New York bis New Mexico: Die Amerikaner haben sich allüberall eine ganz eigene Sprache zurechtgebastelt, die mit dem »Ur-Englischen« eigentlich nur noch die Grammatik gemein hat. Dies gilt sowohl für die Betonung als auch für Redewendungen und Floskeln.

Und wenn Sie sich auch nur einige wenige davon merken können, gehen Sie beim nächsten gesellschaftlichen Großereignis durchaus als amerikanophiler, überaus gebildeter und charmanter Party-Profi durch. In diesem Sinne: »Amerikanisch für Angeber« – viel Spaß!

Kapitel 1

The american way of life
Der amerikanische Lebensstil

Ein Lebensgefühl wird unter die Lupe genommen

Zugegeben – diese Überschrift musste ja kommen. Schließlich haben es die Amerikaner wie kein anderes Volk geschafft, ihr Lebensgefühl plastisch und sprachgewaltig in Formeln, Worthülsen, Lippenbekenntnisse und Statistiken zu pressen. An vorderster Front (!) – und damit auch als Inhalt dieser ersten Seiten – wäre natürlich die Siegermentalität zu nennen. Für deren immer während Präsenz gibt es mannigfaltige Beispiele: Hier nun eines von dem prominenten Polo-Spieler Tommy Hitchcock, der vorschlägt:

Lose as if you like it, win as if you were used to it.
Wenn du verlierst, dann tu so, als ob es dir gefällt, und wenn du gewinnst, dann tu so, als wärst du daran gewöhnt.

Dieser Satz eines Sportlers ist nicht so typisch für die Amerikaner, da sie an das Verlieren meist gar nicht denken. Doch er zeigt immerhin deutlich auf, worum es in diesem Land in erster Linie geht: Gewinnen. Der Sieger wird hier gefeiert wie nirgendwo sonst auf der Welt, und nirgendwo sonst ist die Treue seiner Bewunderer stärker und langlebiger. Fast folgerichtig also, dass man auf dem Weg zum Gipfel des Ruhms wenig Rücksichten kennt.

Die Ellenbogengesellschaft feiert fröhliche Urständ, wie uns das folgende Zitat des berühmten Basketballspielers Dennis Rodman beweisen kann.

Piss off, shorty. This is my house and in my house I'm gonna kill ya'!
Hau ab, Kleiner. Das hier ist mein Haus und in meinem Haus werde ich dich töten!

Was sich hier so martialisch anhört, ist lediglich die durchaus liebevoll gemeinte Warnung eines recht extrovertierten Sportlers an seinen Gegner. In andere, freundlichere Worte verpackt, hieße der Satz vielleicht: »Geh hier lieber weg, mein etwas kleinerer Sportsfreund. Diese Zone unter dem Basketballkorb ist eigentlich mein Revier, und ich finde es nicht so gut, wenn du dich hier aufhältst. Ich müsste dir vielleicht wehtun, wenn du hierbliebest.«

So ausgedrückt, klänge der Spruch natürlich wesentlich humaner, doch entspräche er dann noch der amerikanischen Sicht der Dinge? Keineswegs, denn dort bringt man die Sache gerne auf den Punkt und gibt sich nicht mit Halbheiten ab. Vor allem in der rauen Welt des professionellen Sports gelten zuweilen die Gesetze einer ziemlich finsteren Straße. Dies betrifft natürlich auch die »sportlichen Angestellten«, die modernen Gladiatoren, die sich Woche für Woche in den gut besetzten Arenen um den Lorbeer streiten – und manchmal auch prügeln. Der erfolgreiche Football-Trainer Vince Lombardi weiß:

If you aren't fired with enthusiasm, you'll be fired with enthusiasm.
Wenn du nicht von der eigenen Begeisterung angefeuert wirst, wirst du mit Begeisterung gefeuert.

Doch nicht nur im Sportgeschehen herrscht ein rauer Umgangston – auch im täglichen Überlebenskampf um Brot und

Geld wird mit harten Bandagen gekämpft. Die Wall Street, das bekannteste Symbol für **big business**, das große Geschäft, spiegelt den unbedingten Glauben an die eigene Unverwundbarkeit mindestens genauso gut wider. Robert Murdoch, Geschäftsmann und Zeitungsmogul, lehrt:

You can't build a strong corporation with a lot of committees and a board that has to be consulted at every turn. You have to be able to make decisions on your own.

Sie können ein wirklich starkes Unternehmen nicht mit einer Menge Komitees und einer Beraterrunde aufbauen, die Sie ständig konsultieren müssen. Sie müssen stets in der Lage sein, ganz alleine Ihre Entscheidungen zu fällen.

Zugegeben: Robert Murdoch ist eigentlich Australier, sein Satz passt aber ausgezeichnet in die amerikanische Landschaft. Doch den amerikanischen Geschäftsleuten lediglich Selbstherrlichkeit zu unterstellen, hieße, sie zu unterschätzen. Das beweist ein Ausspruch des hierzulande eher unbekannten Verkaufsleiters David Ogilvy:

Whatever you do, you should want to be the best at it. Every time you approach a task, you should be aiming to do the best job that's ever been done at it and not stop until you've done it. Anyone who does that will be successful – and rich.

Was immer Sie auch tun, Sie müssen den Willen dabei haben, der Beste zu sein. Immer dann, wenn Sie sich einer neuen Aufgabe stellen, sollten Sie danach streben, das Allerbeste daraus zu machen und dürfen nicht eher aufhören, bis Sie das geschafft haben. Jeder, der nach diesem Motto vorgeht, wird erfolgreich sein – und reich.

Genau darum geht es schließlich im Geschäftsleben aller Länder: um Reichtum, Macht, Ruhm und Anerkennung. Sprichwörtlich ist in Amerika diese Karriere geworden:

From rags to riches.
Vom Tellerwäscher zum Millionär. (Wörtlich: Von den Lumpen zu den Reichen.)

Always remember the other guy's got to make a buck too. If you don't leave him a profitable option, you'll hit his hot button. I'm surprised how many people think you can throw a hand grenade at a competitor and expect he'll stand there and enjoy it.

Denke immer daran, dass auch der andere Kerl noch 'nen Dollar verdienen muss. Wenn du ihm überhaupt keine Möglichkeit gibst, auch ein bisschen Gewinn zu machen, triffst du ihn an der empfindlichsten Stelle. Ich bin immer wieder überrascht, wie viele Leute tatsächlich glauben, sie könnten eine Handgranate nach ihrem Konkurrenten schmeißen und erwarten, dass er einfach stehen bleibt und das gut findet.

Ist dies nun Menschenfreundlichkeit? Will der Geschäftsmann Frank Lorenzo uns hiermit eine philantropische Wahrheit verkünden? Spricht er hier wirklich von Chancengleichheit? I wo! Lorenzo weiß einfach ganz genau, dass der Wettkampf um die schnelle Mark langweilig wird, wenn man keine Konkurrenten mehr hat. Und er weiß auch, dass angeschlagene Feinde immer die gefährlichsten sind.

Sein Denkanstoß könnte also genauso gut heißen: Mach so viel Gewinn wie möglich, aber mach dir dabei nur so viele Feinde wie unbedingt nötig. Das ist logisch, das ist nachvollziehbar, und solange dieser weise Rat beherzigt wird, müssen wir uns um die amerikanische Wirtschaftskraft noch nicht ernstlich sorgen.

Keep things informal. Talking is the natural way to do business. Writing is great for keeping records and putting down details, but talking generates ideas. Great things come from our luncheon meetings which consist of a sandwich, a cup of coffee, and a good idea or two. No Martinis.

Lasst die Dinge nicht zu formell werden. Ein Gespräch ist immer noch der natürlichste Weg, um gute Geschäfte zu machen. Schreiben ist gut, um sich Notizen zu machen und Kleinigkeiten nicht zu vergessen, aber nur das Gespräch bringt Ideen hervor. Wir haben großartige Erfolge bei unseren gemeinsamen Mittagessen erreicht, die aus einem belegten Brötchen, einer Tasse Kaffee und ein, zwei guten Ideen bestanden. Keine Martinis.

T. Boone Pickens, ebenfalls Geschäftsmann, lehrt uns dies, wobei es sein Geheimnis bleibt, warum er keine Martinis mag. Wichtiger ist der Denkansatz: Die Konversation ist also der Schlüssel zum Erfolg? Sollte es so einfach sein?

Nun – manchmal sind die simplen Rezepte nicht die schlechtesten. Im Zuge unserer kleinen Betrachtung des amerikanischen Geschäftslebens möchten wir Ihnen noch einen Satz mit auf den Weg geben, den angeblich ein unbekannter Spekulant während des großen Börsencrashs im Jahre 1929 gegenüber seinem Kompagnon äußerte:

If you can't win anymore, make sure that all the others will lose too.
Wenn du nicht mehr gewinnen kannst, dann sorge dafür, dass auch alle anderen verlieren.

Und das hat damals ja wohl auch bestens geklappt...
Bekannt ist die amerikanische Geschäftswelt im Übrigen natürlich auch für ihr Motto:

Time is money.
Zeit ist Geld.

Das führt manchmal zu grotesk anmutenden Auswüchsen, wie David Belasco, Zeitschriftenverleger, beweist:

If you can't write your idea on the back of my calling card, you don't have a clear idea.
Wenn Sie Ihre Idee nicht auf der Rückseite meiner Visitenkarte notieren können, dann haben Sie keine wirklich klare Idee.

Tja – Zeit ist eben tatsächlich Geld in den USA. Wenn wir schon bei den Plattitüden sind, streuen wir auch gleich noch ein deutsches Sprichwort ein, das hier stellvertretend für die amerikanische Wirtschaftsphilosophie stehen mag:
In der Kürze liegt die Würze. Oder auch:

Don't beat around the bush.
Red nicht um den heißen Brei. (Wörtlich: Schlage nicht um den Busch herum.)

Verhasst ist den Amerikanern auch der
Bean counter
Erbsenzähler (wörtlich: Bohnenzähler),

und derjenige, der sich in Gespräche einmischt, ohne wirklich zu wissen, worum es eigentlich geht:

He goes off at half-cocked.
bezeichnet – im wörtlichen Sinne – einen Schuss, der losgeht, weil die Waffe schlecht gesichert ist und meint jemanden, der unvorbereitet redet oder handelt.

To go with the flow
oder auch
to swim with the tide

sind ebenfalls nicht allzu wohl gelittene Verhaltensweisen. Denn wer einfach immer mit dem Strom schwimmt – so heißt dieser Ausspruch frei übersetzt –, hat nur selten eine fundierte eigene Meinung. Und wenn er dann doch mal eine Ansicht äußert, ist diese oftmals

half-baked.
unausgegoren (wörtlich: halb gebacken).

Höchstes Lob bedeutet es sogar, wenn Ihnen jemand bescheinigt:

You have the guts to do everything.
Du hast den Mumm alles zu schaffen.

Damit wird schlicht und einfach behauptet, dass Sie offensichtlich genügend Mut aufbringen, um wirklich alles erreichen zu können. Wobei es uns aber durchaus zu denken geben sollte, dass **guts** nichts anderes als »Gedärme« bedeutet. Salopp ließe sich der Satz demzufolge wohl auch mit: »Du machst dir nie in die Hosen« übersetzen.

Wenn Sie all diese Anregungen und beachtlichen Weisheiten berücksichtigen, könnten Sie schlussendlich ganz oben ankommen. Auch dafür hat der Amerikaner einen sehr griffigen Ausspruch:

You have the world by the tail.
Du hast die Welt am Schwanz gepackt.

He has a finger in the pie.
Er hat einen Finger im Kuchen – was soviel bedeutet wie:
Er hat seine Finger überall drin.

Kapitel 2

The dream of freedom – der Traum von der Freiheit

Aktuelle Ausdrucksformen des ewigen Traums

Die USA zum Ende der 70er Jahre: eine Nation im Wandel, ein Land im Aufbruch. Die Flower-power-Generation bahnte sich aus San Francisco ihren gewaltfreien Weg über die Highways und in die Herzen der jungen Menschen, predigte Liebe und Verständnis und warb um Toleranz und Brüderlichkeit. Geblieben ist wenig davon im Amerika der Jahrtausendwende.

Die bunten Protagonisten von einst sitzen heute in klimatisierten Großraumbüros, kalkulieren Gewinnspannen oder haben sich als Tankstellenpächter, Restaurantbetreiber und Musikproduzenten ihre eigene kleine Idylle geschaffen. Manchmal streichen sie verstohlen – unbemerkt von Frau und Kindern – auf Schrottplätzen und Autofriedhöfen um bunte VW-Bus-Wracks herum, betasten seufzend lilafarbene Aufkleber und summen Liedfetzen, die stets irgendetwas mit »Blumen in den Haaren« zu tun haben.

Zwar erlebte die Hippie-Ära zumindest in der Modebranche eine kurze, aber heftige Renaissance, doch ihre Ideale sind nunmehr zu rührenden und belächelten Ritualrelikten einer anderen Welt verkommen.

Wer mag es den Amerikanern verdenken? Schon die französische Revolution ertrank in Blut und scheiterte letztlich an Bonaparte. Wer wollte da schon erwarten, dass eine Handvoll Träumer es langfristig besser macht? Doch ein paar der Ideen und Illusionen sind übrig geblieben – eine kleine Schar von Visionären hat sich den Glauben an eine bessere Welt bewahrt. Heute zur Subkultur degradiert, schafft sie sich wieder Raum auf dem Campus oder in den vom Duft der Räucherkerzen erfüllten Straßencafés von Santa Monica und Greenwich Village.

Nicht zuletzt, um diese »Verrückten«, diese »Spinner« und »Tagträumer« zu ehren, haben wir dieses Kapitel ihrer Auffassung der Freiheit gewidmet.

What the caterpillar calls a tragedy, the Master calls a butterfly.

Was für die Raupe eine Tragödie ist, ist für den Herrn ein Schmetterling.

Gut, zugegeben – dieses Zitat des Schriftstellers Richard Bach, Schöpfer der berühmten Möwe Jonathan, mag noch herzlich wenig mit Freiheit zu tun haben. Doch soll es hier stellvertretend angeführt werden – als Hinweis auf die Vielschichtigkeit der Ansichten, für die Amerika einst berühmt war. Der Schmetterling ist da durchaus als Symbol einer sich »entpuppenden« Freiheit zu verstehen.

Solcherart waren die Träume der »jungen Wilden«, die in Woodstock und anderswo verkrustete Strukturen anprangerten und freie Liebe predigten. Einer von ihnen ist der Poet, Sänger und Schauspieler Bob Dylan. Er meint:

A man is a success if he gets up in the morning and gets to bed at night and in between he does what he wants to do.

Ein Mensch hat Erfolg, wenn er morgens aufsteht und abends zu Bett geht und in der Zwischenzeit genau das tut, was er tun will.

Unabhängigkeit contra Knechtschaft, Freiheit des Einzelnen und der Massen: Nach diesem Strickmuster waren die Vorstellungen seinerzeit gestrickt und geben Sie's ruhig zu: Es gibt schlechtere Ideale. Und wer weiß, vielleicht hätten die Ideale ja länger überlebt, wenn sich alle Beteiligten an den folgenden Satz des Poeten und Philosophen Ralph Waldo Emerson gehalten hätten:

Nothing great was ever achieved without enthusiasm.
Ohne Begeisterung ist noch nie etwas Großes erreicht worden.

Aber wie wir alle wissen, unterlagen Begeisterung und Elan im Kampf gegen die Mühsal des Alltags. An Versuchen, sie langfristig zu bewahren, hat es nicht gemangelt. Auch Ella Fitzgerald, eine der ganz Großen des amerikanischen Showbusiness, steuerte ihre Meinung dazu bei:

Just don't give up trying to do what you really want to do. Where there is love and inspiration, I don't think you can go wrong.
Gib niemals auf zu versuchen, das zu tun, was du wirklich tun willst. Wo immer Liebe und Inspiration zu finden sind, kannst du meines Erachtens nicht falsch liegen.

Die große alte Dame des Jazz wusste, wovon sie sprach. Sie selbst war ihrem Weg treu geblieben. Sie selbst hatte alle Höhen und Tiefen erlebt und auch in den dunkelsten Momenten ihres Lebens und am scheinbaren Ende ihrer Karriere immer an die Ideale von Menschlichkeit, Unabhängigkeit und Nächstenliebe geglaubt.
Schwärmen wir Ihnen zu sehr? Nun – wir sind zumindest nicht die Einzigen, die sich manchmal nach einem Hauch der Love-and-peace-Jahre zurücksehnen. So klingt beispielsweise aus dem folgenden Zitat durchaus schon ein Anflug von Resignation:

Life is what happens to you while you are making plans.
Leben ist das, was passiert, wenn du gerade andere Pläne schmiedest.

John Lennon, Ex-Beatle, Sänger, Musiker, Lyriker, Ehemann von Yoko Ono und gebürtiger Liverpooler, war, als er hinterrücks erschossen wurde, längst Amerikaner und in New York ansässig. Und er ist mit seinen musikalischen und textlichen Beiträgen sicher einer der ganz wichtigen love-and-peace-Protagonisten.
Natürlich kann nicht verhehlt werden, dass die Woodstock-Generation auch ihre Probleme hatte. An erster Stelle wären hier die Drogen zu nennen, denen unter anderem der begnadete Gitarrist Jimi Hendrix, der Sänger der Kultband »The Doors«, Jim Morrison, und seine Kollegin Janis Joplin zum Opfer fielen.

Sie war es, die das fragwürdige Motto vieler Jugendlicher dieser Zeit ausgab:

Live fast, love hard, die young.
Leb schnell, lieb heftig, stirb jung.

Sie starben früh, zu früh – nicht zuletzt deshalb, weil sie nicht nach dem Vorbild ihres berühmten Mitstreiters Mick Jagger leben und handeln konnten:

It's all right letting yourself go, as long as you can get yourself back.
Es ist in Ordnung, wenn du dich gehen lässt – vorausgesetzt, du findest auch wieder zu dir zurück.

Für Mick Jagger, Sänger und Kopf der »Rolling Stones«, gilt dasselbe wie für John Lennon: von Geburt Brite, geht er heute glatt als Amerikaner durch. Zum Ende unserer Betrachtungen über häufig missverstandene Freiheitsideale wollen wir noch einige Redewendungen präsentieren, mit denen der junge Amerikaner von heute sein Streben nach Selbstständigkeit sprachgewaltig dokumentiert. Sei es auf Toilettenwänden oder auf U-Bahn-Waggons: Graffitis sind die neuen, alterslosen Foren einer schematisierten Welt.

Zuvor wollen wir Sie noch mit einem wirklich tröstlichen Ausblick des Schriftstellers Robert Fulghum beglücken:

Imagination is stronger than knowledge;
dreams are more powerful than facts;
hope always triumphs over experience.
Vorstellungskraft ist stärker als Wissen;
Träume sind mächtiger als Fakten;
Hoffnung triumphiert immer über Erfahrung.

Und damit jetzt zur viel gescholtenen, amerikanischen »Jugend von heute«. Übrigens: Gab es jemals eine nicht gescholtene Jugend?

Eines der markantesten Merkmale der neuen Generation ist ihre angebliche Perspektivlosigkeit. Allüberall verkünden gestandene Moralisten, die jungen Menschen lebten

at loose ends.
ohne Zukunftspläne.

Also ohne Beschäftigung, ohne Perspektiven, ohne Visionen und verhielten sich dementsprechend

wishy-washy.

Kein Witz – dies ist ein amerikanischer Ausdruck! Übersetzung wohl überflüssig. Folgerichtig ginge es bei den Heranwachsenden zumeist

topsy-turvy
chaotisch, drunter und drüber,

zu und die meisten würden

sit there like a bump on the log
faul herumlungern. (Wörtlich: wie ein Knubbel auf dem Baumstamm rumsitzen.)

Kein Wunder, dass die Jugend keinesfalls bereit ist, derartige Unterstellungen widerspruchslos hinzunehmen und sich entsprechend wehrt. Sie werden es gleich merken: Eine Übersetzung ist hier nicht nötig.

Piss off
ist eine der freundlicheren Ablehnungsvarianten von allzu dominanten Bevormundungsversuchen.

Fuck off
ist schon etwas kräftiger und mittlerweile auch im deutschen Sprachschatz beheimatet.

Der Vollständigkeit halber nun noch einige griffige Formulierungen, mit denen vor allem Jugendliche ihrem Missfallen und ihrem Misstrauen gegenüber der ach so perfekten Erwachsenenwelt beredten Ausdruck verleihen:

I'm in stitches.
Ich lach mich kaputt. (Wörtlich: Ich hab Seitenstiche vor Lachen.)

Stop or I blow my top.
Schluss jetzt, oder ich geh in die Luft.

You kill me with your claptrap.
Du bringst mich um mit deinem aufgeblasenen Geschwätz.

You set my teeth on edge.
Du gehst mir auf den Nerv.

Shut up. Your life is a rat race.
Halt doch die Schnauze. Dein Leben ist doch eine einzige Hetze. (Rat race – wörtlich: Ratten-Rennen.)

I'm leaving. This house is the pits.
Ich hau ab. Dieses Haus ist das Allerletzte.
Sehr beliebte Teenager-Drohung gegenüber strengen Eltern.
The pits steht für »das Allerletzte«, »das absolut Schlimmste« usw.

Hey, c'mon Dad. Don't be so nit-picking.
He, jetzt komm schon, Paps! Sei nicht so pingelig.

I think I make myself scarce.
Ich denk, ich verdrück mich jetzt. (Wörtlich: Ich mache mich dünn.)

Like it or lump it.
Wenn es dir nicht passt, kannst du's auch bleiben lassen.

Keep your shirt on.
Reg dich nicht auf. (Wörtlich: Behalt dein Hemd an.)

This is hogwash.
Das ist doch bloß leeres Gewäsch.
Statt **hogwash** ließe sich auch die etwas schärfere Version **bullshit** einsetzen, die dem aktuellen Sprachgebrauch wohl näher kommt.

It doesn't matter what you say. I love to fool around.
Egal, was du sagst – ich gammle einfach gern herum.
Fool around kann allerdings auch für »Dummheiten machen«, »herumspielen« oder »albern sein« stehen.

Drop dead.
Hau bloß ab.
Oder: Geh zur Hölle.

Oder: Geh zum Teufel.

Oder: Verschwinde schleunigst.

Drop dead entspricht in etwa dem Ausdruck **get lost**, ist allerdings deutlich bösartiger gemeint.

Freedom is everywhere but I'm here.

Freiheit ist überall zu finden, aber ich bin ausgerechnet hier.

Graffiti auf einer New-Yorker U-Bahn.

Sie sehen schon – an Antworten mangelt es den Teenagern nicht. Der eine oder andere Amerikakenner unter Ihnen könnte in dieser Aufzählung die wirklich rüden Verbalattacken vermisst haben. Wir wollten an dieser Stelle aber weder eine Anleitung zum Rassenhass bieten, noch allzu sittenwidrig auftreten. So haben wir uns also für die »entschärfte« Version entschieden. Aber auch mit diesen kurzen Statements könnten Sie – die richtige Aussprache vorausgesetzt – durchaus als Einheimischer durchgehen.

Zum Abschluss dieses Kapitels noch eine berühmte Zeile des Rock 'n' Rollers Mick Jagger, die ihren zeitlosen Charakter schon über Dekaden bewiesen hat. Eine Übersetzung wird hierfür nicht nötig sein:

I can't get no satisfaction.

Kapitel 3

Love – Liebe

Mehr als ein Wort für hoffnungslose Romantiker

Sie müssen zugeben, eine eindrucksvollere Überschrift hätten wir nicht auswählen können. Ein einziges Wort, das unendlich viele Assoziationen und Emotionen weckt. Ein deutsches Sprichwort sagt: »Mit Speck fängt man Mäuse.« Demzufolge fängt man mit dem Begriff »Liebe« wohl Romantiker, oder?

Die Amerikaner sind berühmt, manchmal gar berüchtigt, für ihre ganz spezielle romantische Ader. Wir Europäer stehen manchmal fassungslos vor dem, was der Elvis-Fan aus Memphis und der Zeremonienmeister einer Hochzeitskapelle in Reno unter Romantik verstehen.

Häufig – aber zum Glück beileibe nicht immer – stehen rosafarbene Schleifchen, weiße Hammondorgeln und fliederfarbene Schärpen für den Augenblick der Rührseligkeit – eine Farbpalette, die nicht unbedingt unseren Geschmacksnerven schmeichelt.

Ein anderes Beispiel sind Weihnachtsbäume, die sich unter der gewaltigen Last bunter Lichter und Lametta nach einem freien Leben als Futter für die kanadischen Holzfäller sehnen. Oder paillettenbesetzte Abendkleider, in denen pickelige Debütantinnen der besseren Gesellschaft in dieselbe eingeführt werden. Gedankenlos, wie wir Europäer nun einmal sind, neigen wir dazu, derartige Auswüchse schlicht als »Kitsch« zu bezeichnen. Dabei übersehen wir, dass in einem Vielvölker-Schmelztiegel auch durchaus Raum für die zarte Schlichtheit echter Gefühle ist.

Hinweg also mit unseren Vorurteilen! Elvis' Heimat Graceland ist schließlich nicht überall und ein verliebtes Paar in den Wäldern von Wisconsin hat sich sicherlich nicht nur Banalitäten wie **darlin'**, **sweetie** oder **sugarhoney** in die Ohren zu säuseln. Deswegen also Schluss mit lustig – die Liebe ist ein ernstes Thema, das wir keinesfalls auf den üppigen Altären der Geschmacklosigkeit opfern wollen.

Die gibt es schließlich nicht nur in Amerika – denken Sie nur mal an den letzten Wiener Opernball oder an den kreischenden Trubel anlässlich der Damenwahl im Festzelt des SV Möchtegern. Ihrer Fantasie sind hier keine Grenzen gesetzt.

Love is a great beautifier.
Die Liebe ist ein großartiges Schönheitselixier.

So spricht Louisa May Alcott, Autorin des mehrmals verfilmten Romans *Little Women*. Und wirklich: Man muss nicht unbedingt besonders feinfühlig sein, um der glücklichen Liebe eine schönheitsfördernde Wirkung zuzuschreiben. Die unglückliche Version hält dafür allerdings auch die gegenteilige Wirkung parat.

Bleiben wir noch ein wenig bei den Frauen, denen im Allgemeinen ohnehin größere Sensibilität für die Lockungen und Leiden der Liebe nachgesagt wird – schließlich wird der amerikanische Mann kaum jemals an seiner Fähigkeit zur Emotion gemessen.

I don't want to live – I want to love first, and live incidentally.
Ich will nicht leben – Ich will zunächst einmal lieben und nebenbei auch leben.

Eine recht eigenwillige Sicht der Dinge, die Zelda Fitzgerald, Schriftstellerin und Ehefrau von F. Scott Fitzgerald, da zu Beginn des Jahrhunderts äußerte. Wörtlich lässt sich der Satz im Deutschen kaum wiedergeben, denn **incidentally** lässt sich am ehesten mit »gelegentlich«, »beiläufig« oder eben mit dem hier gewählten Terminus »nebenbei« übersetzen. Das sind allesamt Varianten, die den Sinn der Aussage nur unzureichend wiedergeben. Aber wir sind sicher, Sie verstehen schon, wie's gemeint ist.

Love means never having to say you're sorry.
Liebe bedeutet, nie um Verzeihung bitten zu müssen.

Dies lässt der US-Schriftsteller Erich Segal in seinem – auch in der Verfilmung berühmten – Roman *Love story* seine tragische Heldin Jenny sagen. Wir müssen an dieser Stelle allerdings bekennen, diesen sicherlich höchst sinnreichen Ausspruch nie ganz verstanden zu haben: Bedeutet er, ich muss fürs Lieben nicht um Verzeihung bitten? Oder für mein Verhalten? Oder für einen Rülpser in Gesellschaft? Und wer muss nicht um Verzeihung bitten? Der Liebende oder der Geliebte? Und überhaupt – warum muss ich um Verzeihung bitten? Weil Liebe unzurechnungsfähig macht? Weil sowieso keiner zuhört? Weil ich ein Rüpel bin?

Sie merken schon – manche Zitate werfen wesentlich mehr Fragen auf als sie beantworten. Und manchen wird mehr Bedeutung beigemessen als ihnen zusteht. Doch gerade dieser Satz von Erich Segal ist einer der am häufigsten zitierten in den USA überhaupt – wie könnten wir Ihnen den vorenthalten?

Zurück zum Thema: Liebe führt, wenn auch nicht zwangsläufig, so doch immerhin zuweilen auch zu Eheschließungen. Erinnern Sie sich an unsere Einführung in dieses »romantische« Kapitel und an die eigenwilligen romantischen Vorstellungen der Amerikaner?

Nun – die Hochzeit kann im Land der unbegrenzten Unmöglichkeiten zuweilen zu einem Spektakel stilisiert werden, das wir uns nicht einmal in unseren rosafarbensten Albträumen ausmalen würden. Glanz und Glitter, Kitsch und Pomp – und manchmal hohe Schulden: Für den »schönsten Tag im Leben« ist vor allen den Brautvätern des amerikanischen Mittelstandes nichts zu viel.

Wir empfehlen in diesem Zusammenhang den Komiker Steve Martin in dem Film *Der Vater der Braut* oder besser noch das Original aus den 50er Jahren mit Spencer Tracy und der umwerfend schönen, jungen Liz Taylor als Tochter. Die heilsame Wirkung kann garantiert werden.

Where there's marriage without love, there will be love without marriage.
Wo es Hochzeiten ohne Liebe gibt, wird es auch Liebe ohne Hochzeit geben.

Benjamin Franklin, Politiker und Schriftsteller, hatte diese Erkenntnis, die für das 18. Jahrhundert schon recht fortschrittlich war. Denn damals war es durchaus noch nicht üblich, harmlose Liebeleien, geschweige denn körperliche Erkundungsversuche am anderen Geschlecht, vor der Eheschließung zu tolerieren. In manchen Teilen Amerikas – wir erwähnen ausdrücklich bestimmte Regionen von Pennsylvania oder Massachusetts – ist es das heute immer noch nicht.
Völlig desillusionierend ist auch das Urteil einer Dame, die auf dem Ehesektor auf einen reichen Erfahrungsschatz zurückblicken kann:

A man in love is incomplete until he has married – then he's finished.
Ein verliebter Mann ist unvollständig, bis er geheiratet hat – danach ist er fertig.

Zsa Zsa Gabor, ungarisch-amerikanische Schauspielerin mit mehr als einem halben Dutzend Ehen, ist hier ein recht doppeldeutiger Satz gelungen. Denn was alles könnte in diesem Zusammenhang, bitte schön, »fertig« bedeuten?
Spontan kommt uns in diesem Zusammenhang ein Zitat einer ebenfalls nicht unumstrittenen Autorin in den Sinn, das sich mit den ehelichen Pflichten beschäftigt. Naura Hayden, Autorin des Buches *How to satisfy a woman*, behauptet:

A man will be loved as never before when he is able to give his woman the greatest pleasure he can give her – an orgasm. And when he can do this every time, her love will know no bounds.

Ein Mann wird geliebt wie niemals zuvor, wenn es ihm gelingt, seiner Frau die größte Wonne zu schenken, die er ihr geben kann – den Orgasmus. Und wenn er das jedes Mal schafft, wird ihre Liebe grenzenlos sein.

Leider hat die Liebe auch stets ihre tragischen Momente. Wir verkneifen uns an dieser Stelle etliche Shakespeare-Zitate. Die finden Sie in unserem Buch *Englisch für Angeber* (so viel Eigenwerbung muss sein...). Doch Traurigkeit, Verlust, Eifersucht und Verrat sind überall auf der Welt wesentliche Bestandteile dieses zeitlosen Themas. Auch dazu einige stets aktuelle Sentenzen:

Let's call the whole thing off. old old old

Lass uns die ganze Geschichte einen Fehlschlag nennen. Oder einfach: Aus und vorbei.

Dies bittet Ian Gershwin, Lyriker und Komponist. Manch ein Purist mag einwenden, eine gar zu saloppe Übersetzung vorzufinden, doch die lakonische Resignation dieses Satzes lässt sich im Deutschen wohl nicht in Worte fassen.

After all, my erstwhile dear, My no longer cherished, Need we say it was no love, Now that the love is perished?

Jetzt nach allem, mein früherer Geliebter, mein nicht länger Liebkoster, müssen wir jetzt sagen, dass es keine Liebe war, jetzt, nachdem die Liebe untergegangen ist?

Schmachtet die Dichterin Edna St.Vincent Millay.

Love is a battlefield. Pat Benatar

Die Liebe ist ein Schlachtfeld.

Rockt die Sängerin Pat Benatar.

Recht pessimistisch ist auch die folgende, möglicherweise im Zorn getroffene Aussage:

Scratch a lover, and find a foe.
Kratze einen Geliebten und du findest einen Feind.

So keift die Schriftstellerin Dorothy Parker, die an der Hülle des Geliebten gekratzt hat.

Nachfolgend ein paar ebenso simple wie sinnreiche Wandsprüche, deren Autoren und Ursprünge uns leider unbekannt sind:

She's gone and I'm lost.
Sie ist weg und ich bin verloren.

Lassen Sie uns gemeinsam hoffen, dass der Verfasser dieser Zeilen sich mittlerweile wiedergefunden hat.

Lovin' you means tumbling on the edge.
Dich zu lieben ist eine ständige Gratwanderung.

Absturz wahrscheinlich inklusive.

The difference between love and war? What difference?
Der Unterschied zwischen Liebe und Krieg? Welcher Unterschied?

Noch Fragen? Auch aus diesem Kapitel wollen wir Sie nicht entlassen, ohne Ihnen noch einige sehr amerikanische Redewendungen zum Thema Liebe – und Sex – mit auf den Weg zu geben. Die Auswahl ist weder repräsentativ noch erhebt sie Anspruch auf Vollständigkeit.

I want to see ya' in the buff.
Ich will dich nackt sehen. (Wörtlich: in der eigenen Haut.)

Be shelter!
Sei zärtlich!

I carry a torch for this man.
Ich liebe diesen Mann und er liebt mich nicht. (Wörtlich: Ich trage eine Fackel für diesen Mann.)

She has a come-hither look.
Sie hat so einen einladenden Blick.

I'm crazy for you.
Ich bin verrückt nach dir.

Auch möglich in der Version:

I'm girl-crazy.
Ich bin verrückt nach Mädchen.

Puppy love.
Schwärmerei; junge, erste Liebe. **Puppy** meint wörtlich einen jungen, tolpatschigen Hund. Auch gebräuchlich: **calf love**.

I go steady.
Ich habe einen festen Freund (Freundin).

Gay oder **queer**.
Homosexueller.

Hustler oder **bitch**.
Slangworte für Prostituierte.

You look like a million dollars.
Du siehst heute großartig aus. (Wörtlich: Du siehst aus wie 'ne Million Dollar – durchaus ein nettes Kompliment im Dorado des praktizierten Kapitalismus!)

I got you under my skin.
Du gehst mir unter die Haut. Titel eines berühmten Frank-Sinatra-Songs.

Pillow talk.
Bettgeflüster. (Wörtlich: Kopfkissen-Gespräch.) Titel eines berühmten Doris-Day- und Rock-Hudson-Films.

Endgültig abschließen wollen wir dieses Kapitel mit einem Zitat des Rocksängers und Poeten Billy Joel, der beweist, dass Amerikaner auch ganz unprätentiös romantisch sein können:

Holding you close is like holding the summer sun.
I'm warm from the memory of days to come.
Dich in den Armen zu halten, ist, als hielte ich die Sommersonne.
Mich durchströmt Wärme, wenn ich mich an die Tage erinnere, die noch kommen werden.

Kapitel 4

There's no biz like showbiz – Kein Geschäft ist so wie das Showgeschäft.

Zwischen Show und Geschäft

Möglicherweise ist der Satz, der dieses Kapitel überschreibt, einer der bekanntesten Sätze der amerikanischen Sprache überhaupt. In seiner Popularität vergleichbar mit der etwas zu pathetischen Plattitüde anlässlich der Monderoberung: »Kleiner Schritt für einen Mann – großer Schritt für die Menschheit«.

Einen derart dramatischen Anspruch erhebt unser Lieblingssatz nicht: **There's no business like showbusiness** möchte uns mit tief empfundener Begeisterung lediglich mitteilen, dass die Welt der darstellenden Künste einzigartig, unvergleichlich und gleichzeitig gnadenlos ist.

Gnadenlos? In der Tat, denn schließlich steckt im Wörtchen showbusiness nicht nur die Schau, sondern eben auch das Geschäft. Und vom amerikanischen Geschäftsleben wissen wir, dass es eine gesunde (?) Härte und eine riesige Portion Durchsetzungsvermögen bei seinen Protagonisten voraussetzt. Dies gilt eben auch für Schauspieler, Dramaturgen, Regisseure, Kameramänner, Musiker und Produzenten. Zwar garantiert ihnen der Erfolg das Rampenlicht – und zumeist auch die entsprechende großzügige Bezahlung. Doch der Weg dahin ist mit Dornen gepflastert.

Mit den folgenden Textbeispielen haben wir versucht, die Wege zum Ruhm und die Geheimnisse des Erfolges darzustellen. Vorausschicken möchten wir einen deutschen – recht zynischen – Satz, den uns gleich darauf Woody Allen, Stadtneurotiker, Schauspieler und Regisseur, bestätigen wird: Nur der Schein ist wirklich rein! In diesem Sinne...

Eighty percent of success is showing up.
Achtzig Prozent des Erfolges besteht aus Angabe. **Showing up** bedeutet wörtlich: hervorheben, Aufsehen machen, paradieren.

Und Lucille Ball, Entertainerin, behauptet:

I think knowing what you cannot do is more important than knowing what you can do.
Ich glaube, es ist wesentlich wichtiger zu wissen, was man nicht kann, als zu wissen, was man kann.

Das soll alles sein: Angabe und das Erkennen der eigenen Grenzen? So werden Gipfel gestürmt, Beifallsstürme entfacht, Oscars erobert? Tatsächlich – je weiter wir vordringen in die Welt des Glamours, desto simpler werden die Rezepte.

I've always believed that life is a lot easier if you're able to laugh at yourself. And it's a lot more fun, too. Whenever I do get serious it does not last too long, because I'm always thinking of a humouros end.
Ich war immer der Auffassung, dass es das Leben wesentlich leichter macht, wenn man in der Lage ist, über sich selbst zu lachen. Und es macht auch viel mehr Spaß. Immer wenn ich ernst bin, kann ich sicher sein, dass dieser Zustand nicht zu lange dauert, weil ich sofort über eine lustige Pointe nachdenke.

34

Der Schauspieler und Komödiant George Burns hat gut reden. Erstens ist er von Berufs wegen Komiker, zweitens offensichtlich ohnehin eine Frohnatur bester rheinischer Prägung. Und drittens wagen wir zu bezweifeln, dass er diese Einstellung zum Leben bereits als unbekannter Anfänger im überfüllten Wartezimmer eines gereizten Agenten hatte, wo er um einen Vorsprechtermin bettelte.

Aber aus der Warte des Erfolgs lassen sich gereifte Weisheiten und Selbstironie natürlich bestens verkaufen. Wir wollen Mr Burns diese Minimalfälschung der eigenen Biografie gerne nachsehen – da gibt es wirklich schlimmere. Wie wär's mit der folgenden markigen Anleitung:

Give yourself a pat on the back, a pat on the back, a pat on the back.

Gib dir selbst einen Tritt in den Hintern, einen Tritt in den Hintern, einen Tritt in den Hintern. *No!*

Pat on the back (wörtlich: Schlag auf die Kehrseite) erschien uns irgendwie nicht aussagekräftig genug, auch wenn dieser Satz von Kirk Douglas, Schauspieler und Papa von Michael Douglas, stammt.

Jaaa – das ist ein Tipp, der auch uns ernsteren Seelen einleuchten will. Was können wir nicht alles folgern aus diesem schlichten Ruf des nicht weniger schlichten Kirk? Dass er masochistische Neigungen hatte? Quatsch! Selbstdisziplin lautet die Botschaft, ständiges Aufrappeln und Eigendynamik sind gefragt, um den Marsch nach ganz oben in Angriff nehmen zu können. Wir wissen nicht, wie Mr Douglas' Kehrseite sich heute darstellt, aber ganz sicher wissen wir, dass er es geschafft hat: Ein Oscar für sein Lebenswerk mag dafür als Zeugnis stehen.

Für eher diplomatische und nicht derart energische Naturen hätten wir auch noch einen Tipp parat:

Be nice to people on your way up because you need them on your way down.

Sei nett zu den Leuten, wenn du auf dem Weg nach oben bist, denn du brauchst sie auf dem Weg nach unten.

Gleich zwei Kernaussagen enthält dieses Zitat des Entertainers Jimmy Durante: zum einen natürlich, dass man mit Charme und Freundlichkeit gerade in Amerika viel erreichen kann, zum anderen aber auch, dass das Erklimmen der obersten Leiterstufe noch lange nicht den Verbleib auf derselben garantiert. Der kluge Mann baut also vor und betrachtet den eigenen Erfolg als mögliches Wellental, der ihn jederzeit wieder in die Niederungen des gewöhnlichen Alltags spülen kann. Manchmal kann es allerdings auch verblüffend einfach sein, das Erreichte immer wieder zu bestätigen.

My old drama coach used to say, »Don't just do something, stand there«. Gary Cooper wasn't afraid to do nothing.
Mein alter Schauspiellehrer pflegte zu sagen: »Mach bloß nix. Steh einfach da.« Gary Cooper hatte keine Angst, einfach nix zu tun.

Clint Eastwood, Schauspieler und Werbeträger für Havannas, erzählt diese Anekdote. Nun kann man einwenden, dass man diese Maxime Gary Coopers so manchem seiner Filme auch ansieht. Doch was uns heute ab und an als unfreiwillige Komik erscheint, hatte Erfolg. Und zwar nicht zu knapp!
Clint Eastwood hat diesen Erfolg noch perfektioniert. In seinen Filmen glänzt er häufig lediglich durch das markante Verziehen des linken Mundwinkels und – im richtigen Moment – den schnellen Griff zum Colt. »Bisschen wenig«, wendeten Generationen von Filmkritikern ein. Aber die zahlreichen Bewunderer liebten ihren Helden gerade wegen seines höchst sparsamen schauspielerischen Aufwandes.
Manchmal reicht es eben schon, die richtige »Fresse« zu haben ('tschuldigung, aber in diesem cineastischen Genre schien uns dieser Ausdruck besser zu passen als das Wort »Gesicht«). Oder vielleicht noch den richtigen Körper.

Claudia Schiffer hat es mit diesen Zutaten schließlich auch geschafft. Soweit wir das bisher begriffen haben, gehören also Disziplin, Aufschneiderei, Selbstironie, Nettigkeit, ein passendes Äußeres, das Wissen um eigene Schwächen sowie Charakterstärke zum Showgeschäft. Und natürlich Selbstvertrauen:

Don't accept that others know you better than you know yourself.
Akzeptiere bloß nicht die Behauptung, andere würden dich besser kennen als du dich selbst.

Dr. Sonya Friedman, Talk-Show-Gastgeberin, hält diese Schmeichelei für das Selbstbewusstsein parat. Denn anderenfalls würden Sie lediglich auf einen dieser typischen Party-Small-Talk-Sprüche reinfallen, die eine bestimmte Sorte von Leuten gerne macht, um sich einen Hauch von Überlegenheit zu geben. Niemand kennt Ihre Abgründe, Ihre Fehler und Schwächen, aber auch Ihre Möglichkeiten, Talente und Begabungen besser als Sie selbst. Lassen Sie sich bloß nichts anderes erzählen!

You may be disappointed if you fail, but you are doomed if you don't try.
Du magst enttäuscht sein, wenn du versagst, aber du bist verdammt, wenn du es nicht wenigstens versuchst.

Weiß die Opernsängerin Beverly Sills. Und in diesem Zusammenhang gleich noch eine lakonische Erkenntnis des Musikers Andres Segovia:

I will have the all of eternity to rest.
Um mich auszuruhen, bleibt mir noch die Ewigkeit.

Geradezu rührend die Aufforderung des Schauspielers Cary Grant:

Do your job and demand your compensation – but in that order.

Mach deine Arbeit und verlange deine Bezahlung – aber bitte in dieser Reihenfolge.

Diese Maxime scheint heutzutage nicht mehr sehr zeitgemäß. Oder können Sie sich vorstellen, dass ein amerikanischer Megastar heute noch irgendwo erscheint, ohne vorher bereits seinen Preis festgelegt und seine Schäfchen ins Trockene gebracht zu haben? Unwahrscheinlich, oder?

Trauern wir nicht den vermeintlichen »guten alten Zeiten« nach! Spätestens die 80er haben uns gelehrt, dass Bescheidenheit und Zurückhaltung die Relikte eines anderen Zeitalters sind. Und schließlich – wir dürfen es nie vergessen – ist Showgeschäft in erster Linie eine ökonomische Angelegenheit, die sich über so triviale Dinge wie Angebot und Nachfrage regelt.

Zum Ende unserer kleinen Zitatensammlung möchten wir eine deutsche Schauspielerin bemühen, die aber auch in Amerika einige Jahre als Star galt: Lilli Palmer.

I sweat. If anything comes easy to me, I mistrust it.

Ich schwitze. Wenn mir irgendetwas zufliegt, misstraue ich ihm.

Geschenkt wird uns schließlich kaum mal etwas – egal, ob man zu den Idolen oder zu den Bewunderern zählt. Wo weiß man das besser als in dem Land, in dem Tatkraft als oberste Tugend bewundert wird?

Abschließend noch einige allgemeine Redewendungen aus dem Bereich des Showbusiness:

✓**I've had my curtain calls.**

Ich hatte meine Erfolge. **Curtain calls** – (wörtlich: Vorhangrufe). Das bedeutet: Der Applaus des Publikums ruft den Darsteller zum nochmaligen Verbeugen vor dem bereits geschlossenen Bühnenvorhang.

She ad libbed a while.
Sie hat eine Weile improvisiert. **Ad lib** meint: »aus dem Stegreif«, auch als Verb gebräuchlich. Für »improvisieren« kann man auch **wing it** sagen.

With flying colours.
Mit fliegenden Fahnen.

VIP – Very Important Person.
Sehr wichtige Person.

Top notch.
Super, erstklassig, ausgezeichnet, prima usw.

This man's a real ball of fire.
Der Mann ist ein echter Himmelsstürmer. Wird gerne für Jungstars verwendet.

I've got butterflies in my stomach.
Ich habe Lampenfieber. (Wörtlich: Schmetterlinge im Bauch.)

Action! Cut!
Start! Schnitt! In der Regel von Regisseuren verwendet, die damit den Beginn einer Szene und deren Ende signalisieren.

She's on the fast lane/fast track.
Sie ist auf der Überholspur. Im übertragenen Sinne: auf dem schnellen Weg zum Erfolg.

A grandstand play.
Eine ganz große Nummer/Schau. (Wörtlich: ein Haupttribünenspiel.)

Jam session.
Gemeinsames Musizieren verschiedener Künstler bei einem zufälligen Treffen.

✓ Punch line.
Pointe, gelungener Schluss, Knalleffekt.

✓ Sitcom (situation comedy).
Fernsehkomödie, die auf schnell aufeinander folgenden humoristischen Szenen oder Dialogen basiert.

✓ B-movie.
Zweitklassiger, zumeist billig produzierter Film.

✓ Soap opera.
Rührselige, sentimentale Fortsetzungsgeschichten im Fernsehen. **Soap** – Seife: Der Ausdruck rührt daher, dass derartige Sendungen früher zumeist von Waschmittelherstellern finanziert wurden.

✓ Tear jerker.
Schnulze, rührselige Geschichte, billig produziertes Melodram.

Zum Ende dieses Kapitels über die Höhen und Tiefen des amerikanischen Showbusiness möchten wir Sie mit einem tröstlichen Ausblick auf die Zukunft entlassen. Auch Sie haben möglicherweise die Pfade des Ruhms noch vor sich. Vorausgesetzt, Sie beherzigen die Maxime eines wirklich weisen Mannes, des berühmten Musikers Arthur Rubinstein:

Of course, there is no formula for success, except perhaps an unconditional acceptance of life and what it brings.
Natürlich gibt es kein Rezept für den Erfolg. Außer vielleicht die bedingungslose Akzeptanz des Lebens und all dessen, was es bringt.

Kapitel 5

Politics and power –
Politik und Macht

Von Machbarem und Menschlichem

Deutschland ist bekanntlich ein Land von Experten – zumindest in zwei Bereichen: Fußball und Politik. Auf den Tribünen der Bundesligastadien sitzen Woche für Woche Hunderttausende von Fachleuten, die eigentlich alles besser könnten als die Spieler. Und als die Trainer sowieso. Wir sind eine Heerschar verkannter Talente.

In der Politik ist es ähnlich: Zwar herrscht auf der Tribüne des Bundestages zumeist gähnende Leere (keine Stehplätze – keine Stimmung!). Doch via Television bildet sich ein jeder seine Meinung und sei sie auch noch so unbegründet. Auf Politiker zu schimpfen, sie der Unfähigkeit, der Dummheit, der Arroganz und der Bestechlichkeit zu bezichtigen, ist ziemlich einfach und vielleicht nicht zuletzt deswegen hochmodern. Mag sein, dass der Abstand zu den Volksvertretern eine nicht unwesentliche Rolle spielt. Denn schließlich trifft man die Damen und Herren Parlamentarier im »wirklichen Leben« so gut wie nie – und wenn, dann bitten wir sie auch noch um Autogramme. Kurzum: Die Volksvertreter sind dem Volk entfremdeter denn je.

In Amerika ist dies – hätten Sie's gedacht? – ein bisschen anders. Dort gelten Hemdsärmeligkeit und – vorgetäuschte? – Bürgernähe noch als Zeichen der Verbundenheit mit dem gemeinen Mann. So hielt George Bush bei jeder sich bietenden Gelegenheit seinen Hund ins Bild, Ronald Reagan machte sexistische Witze und Bill Clinton joggt mit dem Walkman.

Zwar schimpfen auch dort die Menschen über die Pannen, Peinlichkeiten und Entgleisungen der Deputierten. Doch letztlich wird auch die gute Show belohnt, sprich: mit Wählerstimmen honoriert. Ein Präsident darf mit Marilyn Monroe turteln (John F. Kennedy), darf dubiose Geheimdienstaktivitäten tolerieren (siehe die »Iran-Affäre«, Ronald Reagan und George Bush) und in umstrittene Grundstücksgeschäfte verwickelt sein (Bill Clinton). Wichtig ist eigentlich nur, wie er sich verkauft.

Reagan wurde für den antrainierten Raubein-Charme des geborenen Hinterwäldlers acht Jahre lang geduldet und Bill Clinton spielt erstens schön Saxophon und versteht es zweitens meisterhaft, sich als jugendlicher Hoffnungsträger anzupreisen. Der ewige Lausbub im Weißen Haus – das kommt an, das lieben seine Landsleute.

Man könnte den Amerikanern fehlende Kritikfähigkeit unterstellen. Dabei hat man in den Vereinigten Staaten vielleicht eher ein gutes und recht humorvolles Gespür für das Machbare und das Menschliche in der Politik entwickelt. Fehler werden dort zumeist belächelt, Peinlichkeiten verspottet und Pannen, nachdem sie auf allen Kanälen ausführlich seziert wurden, auf den Abfallhaufen der Geschichte geworfen – vorausgesetzt, der Grundsatz **America first** wird nicht berührt. Pathos wird gern gesehen, patriotische Übertreibungen gehören zum guten Ton.

Dass sich die Nation aber schlussendlich nicht alles gefallen lässt, musste Richard Nixon seinerzeit schmerzvoll erfahren: Seine Tricks und Lügen sprengten die unsichtbaren Grenzen. »Tricky Dicky« musste gehen, obwohl er auf dem Parkett der internationalen Politik sicherlich fähiger war als die meisten seiner Nachfolger.

Sehen wir zunächst einmal, was einen großen Politiker auszeichnet oder was ihn erfolgreich und wählbar macht:

A platoon leader doesn't get his platoon to go by getting up and shouting and saying: «I'm smarter. I am the leader.« He gets men to go along with him be-

cause they want to do it for him and they believe in him.

Der Führer einer militärischen Kommandoeinheit wird seine Jungs nicht dazu kriegen, ihm zu folgen, wenn er aufsteht und brüllt: »Ich bin schlauer. Ich bin der Chef.« Er bekommt die Jungs dazu, sich in Bewegung zu setzen, weil sie es für ihn tun wollen und weil sie an ihn glauben.

Von einer natürlichen Autorität spricht da Dwight D. Eisenhower (genannt: Ike), 34. Präsident der USA, eine Autorität, die auf Charisma und Führungstalent ebenso beruhen kann wie auf Schauspielkunst oder erworbenen Verdiensten.

Vor allem in Amerika werden allerdings von einem Staatenlenker auch noch eine gewisse Risikobereitschaft, gepaart mit Weitblick, erwartet – eine Prämisse, die dereinst ein Norweger, der Diplomat und UN-Präsident Dag Hammarskjold, als Credo formulierte:

Never look down to test the ground before taking your next step. Only he who keeps his eye fixed on the far horizon will find the right road.

Schau niemals nach unten, um den Boden zu überprüfen, bevor du deinen nächsten Schritt machst. Nur derjenige, der seinen Blick geradewegs auf den fernen Horizont gerichtet hat, wird den richtigen Weg finden.

Was der kluge Mann dabei allerdings nicht erwähnte: Manchmal kann man auf diese Weise auch stolpern und tierisch auf die Schnauze fallen. Wir bemühen an dieser Stelle noch einen »Nicht-Amerikaner«, den israelischen Staatsmann Theodor Herzl, um das Wesen und die Denkweise der amerikanischen Mächtigen zu demonstrieren:

If you will it, it is no dream.

Wenn du etwas wirklich erreichen willst, dann ist es kein Traum.

Der Wille zum Erfolg verbindet sie eben alle – ob Sportler, Wirtschaftsmogule oder Politiker, und es ist dieser unbedingte Siegeswille, der den

Melting pot
Schmelztiegel

zur mächtigsten Nation der Welt gemacht hat.

Mental force
Mentale Stärke

nennt man diese Eigenschaft. Schon lange bevor diese Worthülse an der Psychologie-Theke der esoterischen Ramschläden wohlfeil war, hatte ein weiterer US-Präsident diese uramerikanischste aller Eigenschaften eindrucksvoll formuliert:

What convinces is convinction. Believe in the argument you're advancing. If you don't, you're as good as dead. The other person will sense that something isn't there, and no chain of reasoning, no matter how logical or elegant or brilliant, will win your case for you.
Nur die Überzeugung überzeugt. Glaube an das Argument, das du vertrittst. Wenn du das nicht tust, bist du so gut wie tot. Dein Gegenüber wird merken, dass nichts dahinter steckt, und keine noch so logische, elegante oder brillante Beweisführung wird die Angelegenheit noch zu deinen Gunsten entscheiden.

Lyndon B. Johnson, 36. Präsident der USA, ist der Urheber dieses klugen Zitats. Wir wollen zu seinen Gunsten annehmen, dass er auch den Vietnamkrieg, an dessen Führung er nicht unerheblich beteiligt war, für zwingend notwendig hielt. Ansonsten wäre sein Satz nur eine weitere, herzlich überflüssige Fußnote der Historie.
Doch wir wollen gerne glauben, dass dieser Präsident von dem überzeugt war, was er anordnete. Post mortem können

wir ihn immerhin mit dem Zitat eines Zeitgenossen trösten, das auch dem Scheitern noch einen Sinn verleiht:

Only those who dare to fail greatly can ever achieve greatly.
Nur diejenigen, die sich trauen, in großem Stil zu scheitern, können auch in großem Stil Erfolg haben.

Für manch einen mag dieser Ausspruch von Robert Kennedy, General der US-Armee, zynisch klingen. Denn in der Regel bezahlen weder ein General noch ein Politiker ihre Fehler mit ihrem Leben – im Gegensatz zu denjenigen, die sie an die Fronten dieser Welt beordern.

Ziehen wir an dieser Stelle ein Fazit, so lässt sich bilanzieren, dass der amerikanische Machtmensch eine Mischung aus Bauernschläue, Naivität, Entschlossenheit, Showtalent und Überzeugungskraft mitbringen sollte. Der Unterschied zum europäischen Politiker scheint so groß also nicht zu sein. Allerdings – und dies ist eine logische Folge des amerikanischen Mediensystems – ist dort alles ein bisschen greller, größer und grandioser.

Beschließen wollen wir unseren gedanklichen Ausflug in die Mysterien der Macht mit einer höchst lakonischen Feststellung:

Intelligence is not at all that important in the exercise of power, in fact, it is usually useless.
Intelligenz ist bei der Ausübung der Macht überhaupt nicht wichtig. Tatsächlich ist sie gewöhnlich sogar nutzlos.

Dies ist die Auffassung des ehemaligen US-Außenministers Henry Kissinger, der übrigens im fränkischen Fürth geboren ist. Mit dieser Feststellung erschließt sich uns so manche Polit-Karriere wesentlich einfacher. Sie bestätigt auch unsere lang gehegte Vermutung, dass Politik in erster Linie mit dem Bauch und nicht mit dem Kopf gemacht wird. Und Bäuche sind in diesem Metier ja bekanntlich reichlich vorhanden.

Bible belt.
Bibelgürtel. Bezeichnung für die Südstaaten, deren Einwoh-
ner stets als wesentlich bibelfester galten als der industriali-
sierte Norden.

Wie immer zum Schluss eines Kapitels, stellen wir Ihnen nun wieder einige typisch amerikanische Redewendungen und Ausdrücke zum Thema vor.

Uncle Sam.
Spitzname für die Vereinigten Staaten, in Karikaturen zumeist ein dürrer, bärtiger Mann mit rot-weiß-blauem Zylinder.

Township.
Gemeinde.

County.
Verwaltungsdistrikt innerhalb eines Bundesstaates.

Stars and stripes.
Nationalflagge der USA. Auch als »Sternenbanner« bezeichnet. Entstand 1777. Jeder Stern steht für einen amerikanischen Bundesstaat.

Administration.
Regierung. Der Präsident, seine Kabinettsmitglieder und vom Präsidenten ernannte Staatsbeamte. **Administration** kann auch die Amtsperiode einer Regierung bedeuten.

Assemblyman.
Abgeordneter im Parlament eines Bundesstaates.

Capitol.
Tagungsort der Parlamente der Bundesstaaten oder – in Washington D. C. – der Sitz der gesetzgebenden Versammlung der USA. Vergleichbar mit den deutschen Länderparlamenten oder – in Bonn – mit dem Bundestag.

CIA (Central Intelligence Agency).
Geheimdienst der USA.

Civil rights movement.
Bürgerrechtsbewegung, die in den 50er Jahren eine Gleichbehandlung der schwarzen Bevölkerung forderte.

Civil service.
Öffentlicher Dienst, Beamtentum (ohne Lehrer).

Congressman.
Mitglied des Repräsentantenhauses, das zum Kongress gehört.

D. C. (District of Columbia).
Heute in etwa das Stadtgebiet von Washington, das direkt dem Kongress unterstellt ist.

Democratic Party.
Demokratische Partei.

Electoral college.
Wahlmännergremium vor der Präsidentenwahl. Die **electors** werden in ihren jeweiligen Bundesstaaten von ihren Parteien aufgestellt und vom Volk gewählt. Die Mehrheit der **electors** ist ausschlaggebend für die Mehrheit des Präsidentschaftskandidaten im jeweiligen Bundesstaat.

G. O. P. (Grand old party).
Große alte Partei. Gemeint sind die Republikaner.

The hill.
Der Hügel. Gemeint ist der Capitol-Hügel in Washington. Damit ist **the hill** auch ein Ausdruck für den Kongress.

Inaugural address.
Antrittsrede des neu gewählten oder im Amt bestätigten Präsidenten.

Majority leader, minority leader.
Mehrheitsführer, Minderheitsführer. Gemeint sind die jewei-

ligen Fraktionsführer der beiden Parteien im Senat oder im
Repräsentantenhaus.

OAS (Organization of American States).
Organisation der amerikanischen Staaten. Verwaltungssitz
in Washington. Mitglieder sind alle Staaten des amerikanischen Kontinents mit Ausnahme von Kuba.

Oval office.
Büro des Präsidenten im Weißen Haus. Auch als Synonym für
alle Amtsgeschäfte des Präsidenten zu verstehen.

Primaries.
Vorwahlen zur Aufstellung von Präsidentschaftskandidaten,
an denen die Parteibasis sich bereits aktiv beteiligt.

Republican Party.
Die republikanische Partei. Die Republikaner sind auf kei-
nen Fall zu vergleichen mit der deutschen Partei gleichen
Namens.

State Department.
Außenministerium.

Secretary of State.
Außenminister.

White House.
Amtssitz und Wohnung des Präsidenten in Washington.

Nach diesen hochoffiziellen Bezeichnungen und Erläuterun-
gen zur amerikanischen Politik nun noch einige spezielle und
zumeist sehr sinnbildliche Sprachschöpfungen:

Affluent society.
Überflussgesellschaft.

The ballot is stronger than the bullet.
Die Wahlkugel – gemeint ist der Stimmzettel – ist stärker als die Gewehrkugel. Der Satz stammt von Abraham Lincoln und gilt als Bekenntnis zur demokratischen Ordnung. Tragisch, dass Lincoln eben dieser Gewehrkugel zum Opfer fiel.

Barnstorming.
Wahlkampf in der Provinz.

Bigwigs.
Wichtige Persönlichkeiten der Politik; zumeist ironisch gebraucht. (Wörtlich: Großperücken.)

To bite the bullet.
In den sauren Apfel beißen, einen unliebsamen Kompromiss eingehen. (Wörtlich: in die Kugel beißen.)

Brain trust.
Gremium von Wahlkampfstrategen. (Wörtlich: Gehirn-Pool.)

Caucus.
Tagung eines Parteigremiums, auf der Wahlen vorbereitet werden. Das Wort hat indianischen Ursprung.

Dark horse.
Unbekannter Außenseiter-Kandidat – übersetzbar mit »unbeschriebenes Blatt«. (Wörtlich: dunkles Pferd.)

Favorite son.
Kandidat für ein Regierungsamt, der aus seinem Heimatort massive Unterstützung erhält. (Wörtlich: Lieblingssohn.)

Fifth column.
Fünfte Kolonne. Eine Gruppe von Menschen, die in geheimer Tätigkeit die Interessen einer fremden Macht vertritt.

Filibuster.
Verzögerungstaktik bei der Verabschiedung von umstrittenen

Gesetzen durch sehr lange Reden. Der Rekord steht bei über 26 Stunden für eine einzige Ansprache.

Foggy bottom.
Das amerikanische Außenministerium, das in einem ehemaligen Sumpfgebiet gebaut wurde. (Wörtlich: nebliger Grund.)

Graft.
Schmiergeld.

Hawks and doves.
Falken und Tauben. Die Verfechter einer harten politischen Linie und die Anhänger eines kompromissbereiteren Kurses.

Lame duck.
Lahme Ente. Bald ausscheidender Politiker, der am Ende seiner Amtszeit an Profil, Ausstrahlung oder Autorität verliert. Übersetzbar mit »abgehalftert« oder »ausgebrannt«.

Mud slinging.
Dreck schleudern. Zumeist für verbale Angriffe unterhalb der Gürtellinie verwendet. Übersetzbar mit »Schlammschlacht im Wahlkampf«.

To pass the buck.
Die Verantwortung abwälzen.

To pull strings.
Die Fäden ziehen, Beziehungen spielen lassen.

To take the Fifth.
Inanspruchnahme des Artikels 5 der Verfassung, wonach jedermann seine Aussage verweigern kann, wenn er sich dadurch selbst belasten könnte. (Wörtlich: den Fünften nehmen.)

To throw one's hat into the ring.

Seine Kandidatur erklären. (Wörtlich: seinen Hut in den Ring werfen.)

Watergate.
Politischer Skandal im Weißen Haus während des Wahlkampfes 1972. In die Zentrale der Demokratischen Partei im Watergate Hotel in Washington war eingebrochen worden. Zwei Journalisten brachten ans Licht, dass der damalige Präsident Nixon in den Fall verstrickt war. Er wurde zum Rücktritt gezwungen.

Unsere Anerkennung, wenn Sie bis hierher durchgehalten haben. Zur Belohnung kredenzen wir Ihnen nun noch zwei Zitate, die beweisen, dass politische Betrachtungen auch ihre heiteren, sympathischen und nachdenklichen Momente haben.

Die Schriftstellerin Toni Morrison erhebt folgende Forderung:

As you enter positions of trust and power, dream a little before you think.
Wenn du mit Verantwortung und Macht ausgestattete Positionen erreicht hast, träume ein wenig, bevor du dich ans Denken machst.

Adlai Stevenson, selbst Politiker, macht auf Selbstironie:
A politician is a statesman who approaches every question with an open mouth.
Ein Politiker ist ein Staatsmann, der sich jeder Frage mit weit geöffnetem Mund nähert.

Kapitel 6

Food and eating – Nahrung und Essen

Essen und Trinken – mehr als ein notwendiges Übel?

Die Vereinigten Staaten von Amerika können beim besten Willen nicht als Eldorado für Feinschmecker bezeichnet werden. Eine Nation, die ernsthaft die unterschiedliche Konsistenz von Hamburgern bei Wendy's, Burger King und McDonald's diskutiert, kann auch mit größtmöglicher Toleranz nicht als kulinarischer Erlebnispark gelten.

Andererseits hört man aus Frankreich, dass amerikanische Touristen mittlerweile immer häufiger in Feinschmeckerrestaurants und echten Gourmettempeln gesichtet werden, ohne Ketchup zu ihrem Cordon bleu zu bestellen. Im Gegenteil: Zumindest in **good old Europe** bemüht sich der Fernreisende aus Kalifornien, Texas und Wisconsin durchaus um »Savoir-vivre«, versucht, das Bild vom **ugly American** zu korrigieren. Ab und an ist er sogar bereit, zugunsten eines passenden Tafelweins auf eine zweite Coke zu verzichten. Letzteres unterscheidet ihn wesentlich von einem der beiden Verfasser dieses Buches. Aber das nur am Rande...

Diese Beobachtungen ändern per se nichts an der Tatsache, dass die Nahrungsaufnahme in den USA viele Dekaden lang eher als notwendiges Übel, als unvermeidliche Unterbrechung der täglichen Routine betrachtet und entsprechend flott und lieblos gehandhabt wurde. Nicht umsonst sind die Amerikaner die Schöpfer des unschönen Un-Worts **fast food** – schnelles Futter.

Langsam, aber sicher, scheint sich ein Bewusstseinswandel Bahn zu brechen: Delikatessenläden (kurz: **Delis**) schießen in San Francisco, Los Angeles, Chicago, Dallas und New Orleans wie Pilze aus dem Boden, französische Köche werden in Legionen eingeflogen und in Kalifornien baut man inzwischen einen echten Gaumenschmeichler als Wein an.

Zwar sitzt der eine oder andere Cowboy immer noch fassungslos vor seinem bunten Teller »nouvelle cuisine« und hofft verzweifelt, es handele sich um eine zweite Vorspeise. Aber die traditionelle Aufgeschlossenheit gegenüber neuen Erfahrungen hilft den Nordamerikanern auch auf kulinarischem Gebiet weiter.

Auch das Vorurteil, dass sich der Durchschnitts-Ami nach wie vor äußerst ungesund, zu süß, zu fett und zu hastig ernährt, muss beim zweiten Hinsehen korrigiert werden. Fett und Zucker sind out – die Messung des eigenen Cholesterinwertes ist zur – zweifelhaften – Ersatzreligion avanciert. Zum Barbecue wird nunmehr sogar frisches Gemüse serviert.

Die Ernährungsindustrie zieht ihren Nutzen aus dem gewandelten Bewusstsein und macht mit einer Unzahl von **light products** die Nation und ihre Bürger nicht nur schlanker, sondern auch ärmer: Wie alles andere in Amerika will auch die Gesundheit vermarktet sein.

Zusammenfassend lässt sich sagen, dass sich nach der Highsociety auch der amerikanische Mittelstand nicht mehr mit verpflegungstechnischen Notlösungen zufrieden gibt. Deshalb werden keinesfalls weniger Hamburger, **doughnuts** oder **spare ribs** verkauft. Doch ein gutes Essen in angenehmer Gesellschaft gilt nicht mehr als überflüssiger Luxus, sondern als Ausdruck von Kultur und Lebensart.

Ob dies die Obdachlosen in den Suppenküchen von New York tröstet? Wahrscheinlich nicht. Doch schon die Gattin des französischen Sonnenkönigs wusste dereinst, dass die hungernden Massen eigentlich recht einfach zufrieden zu stellen sind: »Sie haben kein Brot? Dann gebt ihnen doch Kuchen!« soll sie vor den anbrandenden Wogen der Revolution gesagt haben. Und dank ihres fehlenden Intellektes war dies nicht einmal zynisch gemeint.

Lassen Sie uns nun aber endlich zu unserer beliebten kleinen Zitatensammlung kommen. Ganz bewusst wollen wir beim Thema **food and eating** mit einem berühmten französischen Dramatiker einsteigen:

One should eat to live, not live to eat.
Man sollte essen, um zu leben; nicht leben, um zu essen.

Dass ausgerechnet Molière diese Zeilen formulierte, mag seine Landsleute und die Amerikaner gleichermaßen verwundern. Doch wir erwähnten es schon in der Einleitung: Die amerikanische Nation hat sich exakt dieses Motto lange Zeit auf die Fahnen geheftet. Nicht eingedenk der Bibel übrigens, denn dort ist bei Jesaja (22,13) nachzulesen:

Let us eat and drink; for tomorrow we shall die.
Lasst uns essen und trinken, denn morgen werden wir sterben.

Übertragen auf die Jetztzeit, dürfen wir diesen Ausspruch natürlich nicht mehr ganz wörtlich nehmen. Es sei denn, Sie waren wieder mal selbst Pilze sammeln und hatten Ihr Handbuch nicht dabei. Wir interpretieren stattdessen lieber eine Aufforderung zum Genuss kulinarischer Freuden in diese Botschaft. Das Leben ist schließlich zu kurz, um es mit Wasser und Brot (oder Hamburgern und Coca-Cola) zu verbringen. Möglicherweise aber haben die Amerikaner schon im zarten Kindesalter einen anderen Satz völlig falsch verstanden:

Time for a little something.
Zeit für eine Kleinigkeit.

Der Schriftsteller A. A. (Alan Alexander) Milne ließ dies den berühmtesten Bären der Weltliteratur sagen. Der honigverrückte **Winnie the Pooh** (deutsch: Puh der Bär) meinte mit einer »Kleinigkeit« unseres Erachtens nicht nur das »Allernötigste«. Er gab vielmehr seinem permanenten Wunsch nach schmackhaften kleinen Mahlzeiten zwischen Frühstück und Mittagessen beredten Ausdruck.

Wenn wir schon bei den legendären Figuren der Jugendliteratur sind, wenden wir uns gleich noch einem erstaunlichen Vertreter dieses Genres zu: Der weltberühmte Leichtmatrose Popeye wurde mit dem simplen Satz

I eat my spinach.
Ich esse meinen Spinat.

nicht nur zum Symbol für die kraftspendende Wirkung gesunder Ernährung, sondern auch zum immer währenden Schrecken der Kinderzimmer. Der wehklagende Ruf: »Oh Gott, nicht schon wieder Popeye-Futter!«, ist von Generationen jugendlicher Spinathasser verbürgt. Erstaunlich, dass der tumbe, aber einfallsreiche Popeye dennoch zahlreiche treue Fans und Bewunderer sein Eigen nennen konnte – im Verlaufe seiner Comic-Abenteuer war eine Mehrheit offensichtlich bereit, über seine Verfehlungen bei der Ernährung hinwegzusehen.

Der kindgerechten Vorstellung einer wertvollen und schmackhaften Nahrungsaufnahme dürfte Wallace Stevens eher entsprochen haben. Der amerikanische Dichter behauptete nämlich schlicht:

The only emperor is the emperor of ice-cream.
Der einzige Fürst (eigentlich »Kaiser«) ist der Fürst der Eiscreme.
Vermutlich war Fürst Pückler gemeint. Sie wissen schon: Vanille, Erdbeer, Schokolade...

Damit wenden wir den Blick wieder dem Erwachsenenlager zu, das sich keinesfalls in derartigen Schwärmereien ergeht. Das folgende Zitat schafft sogar eine äußerst ernüchternde Atmosphäre:

Edible. Good to eat and wholesome to digest, as a worm to a toad, a toad to a snake, a snake to a pig, a pig to a man, and a man to a worm.

Essbar. Gut zu essen und gesund zu verdauen, gerade so wie ein Wurm für eine Kröte, eine Kröte für eine Schlange, eine Schlange für ein Schwein, ein Schwein für einen Menschen und ein Mensch für den Wurm.

Wir wissen nicht genau, was der Schriftsteller Ambrose Bierce in diesem Fall als »essbar« bezeichnet hat. Wir können uns aber beim besten Willen nicht vorstellen, dass sich der Koch geschmeichelt gefühlt hat. Und außerdem, Mr Bierce: Theoretisch kennen wir zwar alle den unvermeidlichen Nahrungskreislauf, praktisch möchten wir wirklich nicht ständig daran erinnert werden.

Der intelligente Amerikaner konnte und kann sich durchaus auch produktive Gedanken zum Thema »Essen« machen. Das beweist uns der Dichter Ogden Nash, der in seinem humorvollen Werk **Überlegungen zum Eisbrechen** – zwischen zwei Menschen natürlich – folgenden inhaltsreichen Satz notierte:

Candy is dandy, but liquor is quicker.

Süßes ist toll, aber mit Schnaps geht's schneller.

Wir möchten noch die Kollegen der Zeitschrift »Geo« zitieren, die vor kurzem ausdrücklich behaupteten, die amerikanische Küche ließe sich heutzutage nicht mehr alleine auf Steaks, Hamburger, Pommes frites und Cola reduzieren. Die zahlreich vertretenen »ethnischen Minderheiten« hätten für vielfältigere und spannendere Speisekarten gesorgt.

Nach Kraft raubenden und umfangreichen Recherchen (hicks) geben wir zu: Eigentlich haben die Kollegen Recht. Deswegen spätestens jetzt hinweg mit allen Vorurteilen. Mit fast allen – wir nehmen uns nach wie vor die Freiheit, das amerikanische Standardmenü in ländlichen Gebieten für eine kulinarische Zumutung zu halten. Sie werden feststellen, dass in der folgenden Auflistung typischer Redewendungen und Ausdrücke auch Platz für die exotischeren – mittlerweile dennoch schon amerikanischen – Variationen der Koch-, Back- und Grillkunst ist.

Bagel shop.
Kleines Geschäft, meist mit Essplätzen ausgestattet, in dem **bagels** (eine Art süße Brötchen) in den mannigfaltigsten Formen, Größen und Geschmacksrichtungen offeriert werden. Sehr gefragt ist das so genannte **bagel and lox** – ein ringförmiges Hefegebäck, das mit Philadelphia-Käse und Lachs verzehrt wird.

Bakery.
Bäckerei. Entspricht im Deutschen eher einer Konditorei, wobei darauf zu achten ist, dass amerikanisches Gebäck zumeist wesentlich süßer und bunter ist. Wir ersparen Ihnen an dieser Stelle die Aufzählung der Farb- und Zusatzstoffe.

Bar and grill.
Kleines Restaurant, zumeist mit Selbstbedienungsbüfett.

Cafe.
Café, das allerdings nur in den großen Städten der Westküste mit deutschen Vorstellungen übereinstimmt. Ansonsten eher eine Art **coffee shop** mit Stehtheke.

Cafeteria.
Kleines Selbstbedienungsrestaurant mit traditioneller Küche.

Coffee shop.
Siehe **Cafe**, manchmal auch mit Frühstücksangebot.

Doughnut shop.
Kleine Geschäfte, in denen **doughnuts** (ringförmiges Krapfengebäck, mit oder ohne Füllung) angeboten werden. Sie sind die beliebteste Zwischenmahlzeit der Amerikaner.

Ice cream parlor.
Eisdiele mit Mammutauswahl. Durchschnittlich bietet ein
I.C.P. rund 60 verschiedene Sorten an. Vorsicht: Die einzelnen
Kugeln haben etwa den doppelten Umfang der in Deutsch-
land üblichen.

Steakhouse.
In diesem Restaurant gibt es kein Gericht, bei dem das Steak
nicht irgendeine Rolle spielt.

Tavern.
Kneipe, Spelunke.

Damit kennen Sie nun die landestypischen Gastlichkeiten. Es
empfiehlt sich allerdings vor allem in den großen Städten,
den **coffee shop** oder die **cafeteria** vor dem Betreten einer
eingehenden Musterung zu unterziehen. Auf jeden Fall meiden sollten sie einen **greasy spoon** – (wörtlich: schmieriger
Löffel). Denn so werden billige und schmuddelige Kneipen
bezeichnet.
Nun noch einige Hinweise zum Verhalten in einem Restaurant. Wenn Ihre Bedienung, egal ob männlich oder weiblich,
sich Ihnen vorstellt, ist dies keinesfalls ein Versuch, private
oder gar zarte Bande zu knüpfen. Dies ist vielmehr absolut
üblich und niemand erwartet nun von Ihnen, dass Sie mit
einem »Angenehm! Ich heiße Müller!« vom Stuhl aufsprin-
gen.
Das **menu** ist nicht nur das Menü, sondern bedeutet gleichzeitig Speisekarte, sodass Sie nicht irritiert sein sollten, wenn
Ihnen der Ober mit den Worten »**The menu, sir!**« ein Blatt
Papier anvertraut.
Das Wörtchen **order** steht im Gasthaus im Übrigen für
»bestellen«, sodass die Frage »**Are you ready to order?**«
nicht etwa bedeutet, ob Sie fertig für's Befehlen sind.
Ein häufiger Fehler unterläuft dem Fernreisenden auch bei
der Frage nach der Rechnung, die im Amerikanischen nicht
bill genannt wird, sondern **check**.

Sollten Sie Vegetarier oder Diabetiker sein, erleben Sie vor allem in den besseren Restaurants eine freudige Überraschung: Die Auswahl an **dishes for diabetics** oder **dishes for vegetarians** ist in der Regel äußerst reichhaltig.

Gut zu wissen ist auch, dass der amerikanische Kellner Ihnen nicht etwa **good appetite** wünscht, wie es an deutschen Schulen zuweilen immer noch behauptet wird, sondern Sie mit einem fröhlichen **enjoy** auffordert, Ihr Mahl zu genießen. Ein kleiner, aber feiner Unterschied zu europäischen Gepflogenheiten ist auch die Preisspalte der Speisekarte. Mehrwertsteuer und Service sind dort noch nicht enthalten!

Nun noch eine Auswahl typisch amerikanischer Gerichte, wobei wir uns ganz auf diejenigen beschränkt haben, die eine eher ungewöhnliche verbale Umschreibung ihr Eigen nennen.

Da wären zum Beispiel die auf einer Seite angebratenen Spiegeleier, die der Amerikaner als

Fried eggs, sunny side up
Spiegeleier, mit der sonnigen Seite nach oben

bezeichnet.

Süßstoff – um beim Frühstück zu bleiben – trägt den schönen Namen **artificial sweetener**. Wurst – ausgenommen Salami, die Sie als **salami** bestellen können – wird auch im Amerikanischen einfach **wurst** genannt. Allerdings sollten sie das »r« ein bisschen knödeln.

Wichtig für einen eventuellen Familieneinkauf ist auch die zum Englischen höchst unterschiedliche Bedeutung des Wörtchens »**cookies**«. Damit sind schlicht Kekse gemeint, die in der Sprache des Mutterlands **biscuits** heißen. Die amerikanischen **biscuits** sind hingegen ein etwas schwammiges Teegebäck, das den englischen **scones** ähnelt.

Kommen wir nun zur herzhafteren Küche und lernen dabei zuerst etwas Lebenswichtiges: Pommes frites werden nicht wie in Großbritannien und Irland **chips** genannt, sondern

fries. Die Abkürzung **BLT** steht für ein Brot mit **bacon, lettuce and tomatoes** – Speck, grünem Salat und Tomaten. Hinter einem **club sandwich** verbergen sich Schinken, Truthahn, Speck, grüner Salat und Tomate zwischen zwei Brotscheiben. Bis zur Erfindung der **Big Mac** genannten Maulsperre war es von hier aus nur noch ein kurzer Schritt. Recht originell klingt auch der Name für ein langes Brötchen mit Käse, Wurst, Schinken, Salat und Zwiebeln, das zumeist **hero sandwich** genannt wird. Heldenmut dürfte für den Verzehr jedoch wohl nicht notwendig sein.

Sollten Sie zu Ihrem Menü eine andere Beilage wünschen als auf der Karte ausgedruckt, dann fragen Sie nach anderen **side orders**. Auch der Ausdruck für Getränke ist gewöhnungsbedürftig: **beverages**.

Mannigfaltig sind in Amerika die Zubereitungsmöglichkeiten des bestellten Fleischs. Sie können zwischen **baked** (gebacken), **braised** (geschmort), **breaded** (paniert), **broiled** (vom Rost), **browned** (überbacken), **cooked** (gekocht), **fried** (frittiert) und **grilled** (gegrillt) wählen.

Gemüse wird in der Regel als **vegetable** bezeichnet, doch ab und zu – vor allem in den südlichen Landesteilen – findet sich auch die Bezeichnung **corn**.

Recht kreativ waren die Amerikaner bei der Namensgebung der diversen Salatsoßen: **Thousand islands** bezeichnet beispielsweise schlichte Mayonnaise mit Chili-Soße (oder Ketchup) und **french** meint eine Vinaigrette mit Tomatensauce. Nicht ganz logisch mag uns die Bezeichnung für süße Sahne vorkommen, die man landesweit als **sour cream** bezeichnet.

Ausdrücklich warnen wollen wir den ungeübten Gaumen vor dem voreiligen Kauf so genannter **ranch fries**. Dabei handelt es sich um grob geschnittene, frittierte Kartoffeln mit Schale. Es wird erwartet, dass Sie auch die Schale goutieren.

An dieser Stelle wollen wir nochmals unserer Begeisterung für Amerikas Eisdielen Luft machen, in denen Sie zunächst zwischen **slush** (gefrorenes und zerstoßenes Wassereis), Sahneeissorten, dem kalorienärmeren Jogurteis oder Softeis

wählen können. Eine Kugel nennt sich **single scoop** und
bürgt in der Regel für Quantität und Qualität. Einige der exo-
tischsten Eissorten wollen wir Ihnen an dieser Stelle nicht
vorenthalten:

Butter scotch.
Jogurteis mit einem Schuss Scotch.

New-York cherry.
Vanilleeis mit kandierten Kirschen.

Pecan.
Eis mit dem Geschmack der Pekannuss.

Strawberry shortcake.
Erdbeerbiskuit.

Cheese cake.
Sahneeis mit Käsekuchengeschmack.

Ooooh, wann wird es endlich wieder richtig Sommer?
Oder auch eine Variante: Floridas Eisdielen sehen und dann
sterben.

Zu guter Letzt noch ein sehr nützlicher Hinweis für alle diejenigen, denen das Restaurantessen sehr gemundet hat, die
aber unmöglich das vollständige Menü verdrücken konnten.
Verlangen Sie beim Ober einfach eine **doggy bag** (wörtlich:
Hündchen-Tasche), eine Tüte zum Mitnehmen: Er wird sie
Ihnen bringen und dies noch als Kompliment für den Koch
werten. Keine Spur von Verlegenheit ist hier vonnöten.
So dürfen wir Ihnen nun also »Guten Appetit« wünschen und
hoffen, dass ein langer Abend in der Gastlichkeit Ihrer Wahl
und ein letzter **nightcap** (Schlummertrunk) nicht zu einem
hangover führen. Dann hätten Sie nämlich am anderen
Morgen einen ziemlich schlimmen Kater.

Kapitel 7

Education and schools – Erziehung und Schulen

Lernen zu (über-)leben

Es gibt zwei Betrachtungsweisen des amerikanischen Bildungswesens: Die wohlmeinende offizielle und die wesentlich unvorteilhaftere der weniger wohlmeinenden Kritiker.

Bevor wir Sie nun zunächst mit der offiziellen Version vertraut machen, eine kurze Randnotiz, die Sie bitte selbst bewerten wollen: Rund 15 Prozent aller Amerikaner über 20 Jahre können weder lesen noch schreiben.

Das amerikanische Bildungssystem ist nicht zentral organisiert, sondern in insgesamt 15.000 Schulbezirke – **districts** – unterteilt, deren Verwaltung den örtlichen Schulbehörden obliegt. Die jeweiligen Verwaltungsangestellten werden übrigens ebenso wie Politiker von den Bürgern in geheimer Abstimmung gewählt.

In allen Bundesstaaten umfasst das Schulsystem drei große Stufen: Zunächst die kostenlosen öffentlichen Grundschulen, die entweder **elementary schools** oder **primary schools** genannt werden. Es folgt die **high school**, die in eine **junior-high** (7.–9. Klasse) und eine **senior-high** (10.–12. Klasse) unterteilt ist. Bis dahin – exakt zwölf Jahre – dauert auch die Schulpflicht der amerikanischen Jugend.

Etwa die Hälfte aller High-School-Absolventen setzt ihre Ausbildung dann an den so genannten **colleges** fort, die in etwa den Lehrstoff der deutschen Gymnasial-Oberstufe und der ersten Universitäts-Semester vermitteln sollen. Bei erfolgreichem Abschluss kann der strebsame oder wissensdurstige Jugendliche sich anschließend für ein fortgeschrittenes Studium – **graduate studies** – an einer Universität – **university** – oder an einer der gleichrangigen Fachhochschulen technischer oder juristischer Ausrichtung – **professional schools** – entscheiden.

Soweit die offizielle Darstellung. Inoffiziell allerdings taumelt das amerikanische Schul- und Bildungssystem bis auf wenige Ausnahmen schon seit Jahrzehnten am Rande des Bankrotts. Viel zu wenig Geld steht zur Verfügung, um die Schulen richtig auszurüsten. Die Folge: schlecht bezahlte und dadurch schwer motivierbare Lehrer, veraltete Schulbücher, zuweilen barackenähnliche Räumlichkeiten und eine teilweise mittelalterlich anmutende Atmosphäre.

In den großen Städten rüsten sich schon Zehnjährige mit der Pistole für den Schulweg, Bandenkriege sind dort an der Tagesordnung und der geringste Funke genügt, um Rassenkonflikte in Exzesse blutiger Gewalt umschlagen zu lassen. Die Studiengebühren an den **colleges** sind teilweise so hoch, dass der Besuch der besseren Einrichtungen nur noch einer elitären Minderheit möglich ist. Die Hälfte aller Universitäten sind private Einrichtungen, die ohnehin nur noch von den oberen Zehntausend besucht werden können.

Chancengleichheit im Land der unbegrenzten Möglichkeiten? Quatsch!

Natürlich gibt es auch noch eine andere Seite. Die Dorfschulen von Kansas und Iowa werden zwar häufig mitleidig belächelt, aber in diesen ländlich strukturierten Regionen haben es die Amerikaner zumindest verstanden, ihrem Nachwuchs ein Stückchen heile Welt zu erhalten. Dass es dort zumeist höchst konservativ und puritanisch zugeht, mag man als Reaktion auf die Auswüchse der Ballungsräume verstehen und akzeptieren.

Im Folgenden haben wir Ihnen eine Auswahl verschiedener Begriffe zusammengestellt, die sich alle mehr oder weniger intensiv mit dem amerikanischen Bildungswesen auseinan-

64

der setzen und dabei weder die unangenehmen noch die heiteren Elemente ausgespart.

Alumna, alumnus.
Aus dem Lateinischen: ehemalige Schülerin, ehemaliger Schüler. Wird zumeist bei den Treffen ehemaliger Studenten verwendet.

Audit.
Der Besuch einer Lehrveranstaltung oder Vorlesung als Gasthörer oder auch: die bloße Anwesenheit im Unterricht, ohne auf einen Abschluss oder eine Prüfung hinzuarbeiten. Nach dem Motto: »Hauptsache sie bescheinigen mir, dass ich anwesend war.«

The birds and the bees.
Die Vögel und die Bienen. Der amerikanische Sexualkundeunterricht ist zumeist von einer zutiefst puritanischen Einstellung geprägt. **To tell a kid 'bout the birds and bees** bedeutet also, anhand der Vögel und der Bienen aufzuklären. Sie wissen schon: Die Sache mit dem Pollenstaub. Irgendwann allerdings wird der Heranwachsende dann mit **the nitty-gritty** konfrontiert – den »harten Fakten des wahren Lebens«.

Campus.
Universitätsgelände, häufig auch als Synonym für die Uni oder das College verwendet.

Cheerleader.
(Wörtlich: Anführer.) Gemeint sind allerdings junge Mädchen, die das schulische Sportteam anfeuern und mit gymnastischen und akrobatischen Übungen für Stimmung im Publikum sorgen sollen. Eine **cheerleader-Crew** ist häufig eine perfekt organisierte Riege, deren Übungen viel Training und hohe körperliche Belastbarkeit verlangen. Weitere Voraussetzungen sind das klaglose Tragen kurzer Röckchen, das Schwenken so genannter **pompoms** (wuschelige runde

Stoffgebilde) und gutes Aussehen. Auch das Einstudieren stakkatoartigen Sprechgesangs gehört zum Repertoire. Beispiel gefällig: **Wow, wow, wow, what a show**! (Das übersetzen wir jetzt aber nicht, gell?)

College.
Umgangssprachlich für Hochschulen aller Art.

College boards.
Allgemein übliche Aufnahmeprüfung für die Studienzulassung an Hochschulen.

Commencement.
Abschlussfeier an High School, College oder Universität, in deren Rahmen die Preise und akademischen Grade in Anwesenheit der Angehörigen verliehen werden. Im Zeitalter der bewegten Bilder scherzhaft auch **video conferences** genannt, da eine Vielzahl von Eltern mit Videokameras ausgerüstet ist, um diesen Augenblick für die Nachwelt zu dokumentieren. Übrigens: An den **college commencements** werden zum Abschluss auch diese komischen, viereckigen Hüte ausgegeben, die am Ende der Feier unter Jubelstürmen fortgeworfen werden. Schicke Sache.

Crib, to crib.
Spickzettel; als Verb: abschreiben, spicken. Ein **crib course** ist ein Kurs mit minimalen intellektuellen Anforderungen.

Diploma.
Abschlusszeugnis der High School, ohne das es keine Zulassung für's College gibt.

Dormitory.
Studentenwohnheim.

Education.
Erziehung. Um dieses Wort nicht so einfach im Raum stehen

zu lassen, bemühen wir den berühmten amerikanischen Psychologen B. F. Skinner und seine Definition des Wortes **education**:

Education is what survives when what has been learnt has been forgotten.

Erziehung ist das, was übrig bleibt, wenn alles Erlernte bereits vergessen ist.

Faculty.
Lehrkörper (blödes Wort), also die Lehrerschaft eines **college** oder einer **university**.

Flunk.
Das Klassenziel verpassen, durchfallen. Auch in aktiver Form möglich:
To flunk somebody.
Jemanden durchfallen lassen.

Fraternity.
Studentenverbindung. »Schlagende Verbindungen« gibt es allerdings nur noch in einigen wenigen Universitäten der Ostküste. Siehe auch **Ivy League**.

Freshman, sophomore, junior, senior.
Freshman steht für »Neuling« an einem College, die übrigen Begriffe bezeichnen verschiedene Jahrgänge in High Schools oder Colleges.

To get the message.
Etwas verstehen, etwas kapieren. Die Formulierung eines Lehrers: »**You simply don't get the message**« heißt nichts anderes als »Du kapierst ja wirklich gar nix«.

Glitch.
Ausrutscher, Schönheitsfehler. Häufig eine Randbemerkung auf Klassenarbeiten: unterkringeltes Wort und daneben steht **just a little glitch**.

Goof.
Ehemaliges englisches Dialektwort für »Dummkopf«, aus dem sich im Amerikanischen auch die Bedeutungen **goofy** (doof), **what a goof** (was für ein blöder Fehler) oder **to goof around** (sinnlos herumhängen) herausgebildet haben.

Grade.
Hat verschiedene Bedeutungen:
1. Schuljahr oder Jahrgangsstufe (**first grade, second grade** usw.),
2. **to grade** steht für benoten,
3. **grade school** meint die Grundschule,
4. **graduates** heißen die Absolventen eines Colleges.

Gray matter.
Die »kleinen« grauen Zellen, das helle Köpfchen, der wache Verstand.

Hands-on experience.
Praktische Erfahrung: Häufig werden damit berufsvorbereitende Kurse der **high schools** überschrieben.

Highbrow.
Umgangssprachlich für einen Intellektuellen. Wird zumeist nur an der Ostküste verwendet.

nord

Holidays.
Gesetzliche Feiertage, keinesfalls zu verwechseln mit »Ferien«. Siehe auch: **vacation**.

Instructor.
College- oder Universitätsdozent.

It's all Greek to me.
(Wörtlich: Das ist alles Griechisch für mich.) Im übertragenen Sinne: Ich kapier kein Wort. Keine gute Antwort bei einer Prüfung, aber eine häufig gehörte.

Ivy league.
(Wörtlich: Efeu-Bund). Meint die berühmten sieben Universitäten der amerikanischen Nordost-Staaten: Harvard University in Cambridge, Yale University in New Haven, Princeton University in Princeton, Columbia University in New York, University of Pennsylvania in Philadelphia, Brown University in Providence, Cornell University in Ithaca. Der Name leitet sich von den efeuumrankten Gebäuden der ältesten dieser Unis ab, der 1636 gegründeten Harvard University. Hier existieren auch die letzten »schlagenden Verbindungen« Amerikas. Das Studieren auf diesen Hochschulen ist allerdings nur einer Elite vorbehalten – die Studiengebühren sind enorm hoch und ausschließlich von sehr finanzstarken Familien zu bezahlen. Allerdings haben auch hochbegabte College-Absolventen eine Chance: Wenn sie die entsprechenden Noten vorweisen und eine äußerst schwierige Eignungsprüfung schaffen, erhalten sie ein Stipendium. Im Einzelfall werden diese Stipendien auch von Privatunternehmern bezahlt, die sich damit die Dienste des Geförderten für einen Zeitraum von vier bis sechs Jahren nach seinem Abschluss sichern.

Know-how.
Sachwissen, Fachkenntnis.

Lemon.
Ausdruck für einen schulischen Versager, eine Niete.

Major.
Bezeichnet das Studienhauptfach. »**She's a German major**« bedeutet also »Sie hat Deutsch als Hauptfach belegt«. Das Gegenteil (Nebenfach) wird mit **minor** bezeichnet.

To make the grade.
Erfolgreich sein, etwas bewältigen. **Grade** steht hier für den »Aufstieg«.

P.d.q. – Abkürzung für **pretty damn quick**
Möglichst dalli, hopp-hopp, jetzt aber fix. Beliebt bei Lehrern im letzten Stadium einer Klassenarbeit. Trägt unglaublich zur nervlichen Beruhigung der Eleven bei.

Pecking order.
Rangordnung, Hackordnung, der sich vor allem neue Schüler tunlichst zu unterwerfen haben.

Phi Beta Kappa.
Studentenverbindung, deren Mitglieder ausgezeichnete akademische Leistungen vorweisen können.

Preppie/preppy.
Schüler einer **preparatory school** (berufsvorbereitende Schule).

Public school.
Öffentliche Schule. Anders als im Mutterland England bedeutet **public** in diesem Fall wirklich öffentlich. Das heißt: Die Schule wird durch Steuergelder finanziert – es muss kein Schulgeld bezahlt werden. Das Gegenteil ist die **private school**.

Reform school.
Besserungsanstalt für Jugendliche, eine Art »Ganztagessonderschule«. Kommt einem Jugendgefängnis meistens schon recht nahe. Jugendliche werden in der Regel nicht von ihren Eltern dorthin geschickt, sondern von einem Richter eingewiesen.

Ritzy.
Höchst vornehm und arrogant, hochnäsig. Abgeleitet von der bekannten Hotelkette Ritz. Für **ritzy** wird auch **uppity** oder **stuck up** verwendet. Die Studenten an der so genannten **Ivy League** werden gerne als **ritzy** bezeichnet.

Roommate.
Mitbewohner einer Studentenbude, Zimmergenosse/in.

Sheepskin.
Diplom für den erfolgreichen Collegeabschluss. (Wörtlich: »Schafshaut«.) Früher wurde diese Urkunde traditionsgemäß auf Schafsleder geschrieben, doch mittlerweile sind die »echten« Schafe rar geworden.

Sidekick.
Bester Kumpel, Schulfreund, mit dem man »durch dick und dünn geht«.

Small fry.
Beliebte Bezeichnung für Schülerinnen der Unterstufe der High school. (Wörtlich: kleine Fischlein.)

Sorority.
Studentinnenverbindung.

To throw in the sponge.
Das Handtuch werfen, aufgeben. Häufig für Schüler benutzt, die vor dem Abschluss die Schule verlassen.

To turn over a new leaf.
Ein neues Leben beginnen, ins pralle Leben einsteigen.
I turn over a new leaf ist ein Standardsatz bei schulischen Abschlussveranstaltungen.

Vacation.
Schulferien.

Zombie.
Trottel, Idiot, Schwachkopf. Hat nichts mehr zu tun, mit den so genannten »Untoten«. Die von Erziehungsberechtigten häufig gehörte Version **you're a complete zombie** gilt als durchaus ernst zu nehmende Beleidigung.

Zum Abschluss dieses Kapitels möchten wir Ihnen noch einige Zitate zum Thema **education** angedeihen lassen. So behauptet der New Yorker Volksmund beispielsweise:

Education doesn't come by bumping your head against the school house.
Erziehung ist nicht dadurch erreichbar, dass man seinen Kopf gegen die Schulhauswand donnert.

Und ebenfalls in New York weiß man offensichtlich auch, wozu Erziehung gut sein soll und vor allem – wohin sie führt:

Education begins a gentleman, conversation completes him.
Erziehung ist der erste Schritt zum Gentleman, Konversation macht ihn perfekt.

Vorausgesetzt natürlich, die Erziehung beginnt nicht gerade bei Minusgraden mit zerbrochenen Fensterscheiben in einem überfüllten Klassenzimmer der

suburbs
Vororte

von Los Angeles. In einem solchen Fall wird der Weg zum Gentleman recht beschwerlich werden.

Kapitel 8

American history – Amerikanische Geschichte

Geschichtsunterricht einmal anders

Um es gleich vorwegzunehmen: Wir sind glühende Bewunderer der amerikanischen Geschichte. Natürlich nicht aller ihrer Facetten und Verfehlungen; wir sind uns ihrer Unzulänglichkeiten durchaus bewusst. Doch ausschlaggebend für unsere Zuwendung ist vor allem die Tatsache, dass die Vereinigten Staaten als junger Staat eine funktionierende Demokratie aus der Taufe hoben. Sie schufen eine Verfassung, die in Sachen Menschenrechte neue Maßstäbe setzte und den Freiheitsgedanken konsequent in die Köpfe ihrer Bürger projizierte.

Dieses Buch ist natürlich als Standardwerk für Historiker gänzlich ungeeignet. Doch anhand von Namen, Zitaten, Sprichworten, Ortsbezeichnungen und Daten wollen wir Ihnen zumindest einen stichwortartigen Einblick in die Historie der USA bieten. Aus nachvollziehbaren Gründen haben wir uns diesmal nicht für eine alphabetische, sondern für eine chronologische Reihenfolge entschieden. Auch haben wir uns schweren Herzens dazu durchgerungen, unsere kleine Retrospektive nicht bei den Ureinwohnern zu beginnen, obwohl dies zweifellos gerecht wäre, sondern mit der Kolonialisierung Amerikas.

Sie erinnern sich: Christoph Columbus schippert über den großen Teich, um einen Seeweg nach Indien zu finden, entdeckt ein paar Inselchen und wähnt sich am Ziel seiner

Wünsche. Obwohl er noch dreimal wiederkommt, dabei die Küsten von Süd- und Mittelamerika erforscht und als berühmter Mann das Zeitliche segnet, hat er bis zu seinem Ableben keinen blassen Schimmer, dass es sich bei seinen »Westindischen Inseln« keinesfalls um Indien, sondern um einen neuen Kontinent handelt.

Diesen Verdacht äußert erst der Florentiner Amerigo Vespucci etliche Jahre später. In Anlehnung an seinen Vornamen nennt der süddeutsche Kartograf Martin Waldseemüller die entdeckte Landmasse schließlich »Amerika«. Im Jahre 1513 entdeckt der spanische Seefahrer Juan Ponce de León den Südzipfel Floridas – Nordamerika ist nun auch für die Europäer ein Begriff.

Knapp 30 Jahre später segelt der Italiener Giovanne da Verrazano als erster Europäer in die Hudsonbay, den heutigen Hafen von New York. Die Geschichte der Kolonialisierung hat endgültig begonnen.

Captain John Smith bringt 1607 die ersten »offiziellen« 105 britischen Siedler nach Nordamerika. Aus ihrer Siedlung Jamestown entsteht die erste britische Kolonie Virginia.

Mayflower.
Name des Schiffs der »Pilgerväter« (Puritaner), das 1620 bei Cape Cod landet. Die in England verfolgte religiöse Minderheitengruppe gründet gleich darauf Plymouth, bekräftigt aber ihre Loyalität zur englischen Krone.

Mit Rhode Island, Connecticut, Massachusetts (mit Boston als Hauptstadt) und New Hampshire entstehen bald darauf neue Kolonien, die zum Teil englischen Adeligen »gehören«, zum Teil aber auch Eigentum von Handelsunternehmungen sind.

Boston Letter News.
Erste Zeitung der Kolonien (1704).

Georgia.
Dreizehnte und letzte britische Kolonie in Nordamerika.

Boston massacre.
Das Gemetzel von Boston: In einem Handgemenge werden 1770 in Boston drei Zivilisten von britischen Soldaten getötet. Die zunehmende Entfremdung der Kolonialisten vom Mutterland erhält damit einen Namen und mündet schließlich in die

Boston tea party,
bei der als Indianer verkleidete Siedler mehrere Schiffsladungen voll Tee ins Hafenbecken werfen. Sie demonstrieren damit gegen das Verbot des Mutterlandes, Handel mit Drittländern zu betreiben. Die Spannungen eskalieren. Beim ersten amerikanischen »Kontinentalkongress« beschließen die Abgesandten der Kolonien den Abbruch des Handels mit England. Die Krone antwortet mit Soldaten und es kommt zur

American Revolution
amerikanischen Revolution.

Bevor wir darauf eingehen, wiederholen wir noch einmal mit Bedauern: Wir haben uns wirklich nur auf das Allernotwendigste beschränkt. Natürlich gab es zuvor Scharmützel und Kämpfe mit der Kolonialmacht Frankreich, die sich vor allem im Süden der heutigen USA (Louisiana, Mississippi) ausgebreitet hatte. Es gab Kriege mit Indianern und Reibereien zwischen den einzelnen Kolonien – doch würde dies alles wohl den Rahmen sprengen.

Bunker Hill.
Die Schlacht des 17. Juni 1775 am Bunker Hill. Die Kolonialisten, die zwei Tage zuvor George Washington zu ihrem Oberbefehlshaber ernannt hatten, unterlagen in einem äußerst blutigen Gefecht den Soldaten des englischen Königs, den **Red coats** (Rotröcke). Der Unabhängigkeitskrieg hatte offiziell begonnen. Befehlshaber der amerikanischen Truppen am Bunker Hill war ein gewisser Israel Putnam. Von ihm stammt der berühmte Satz:

Men, you are all marksmen – don't one fire until you see the whites of their eyes.
Männer, heute seid ihr alle Schützen – feuert nicht, bevor ihr nicht das Weiße in ihren Augen seht.

Declaration of Independence.
Die Unabhängigkeitserklärung: Sie wurde am 4. Juli 1776 vom Kongress der Kolonialisten in Philadelphia verkündet. Dieses Datum gilt heute als der offizielle Gründungstag der Vereinigten Staaten.

Battle of Yorktown.
In der Schlacht von Yorktown besiegen die Amerikaner im Verbund mit französischen Truppen am 19. Oktober 1781 die britische Armee entscheidend. Der Krieg ist vorbei und mit dem **Peace of Versailles**, am 3. September 1783, wird die Unabhängigkeit der 13 amerikanischen Freistaaten anerkannt. George Washington wird am 6. Februar 1789 zum ersten Präsidenten gewählt – am 4. März tritt die Verfassung in Kraft.
In den folgenden Jahren erweitern die USA ihr Staatsgebiet durch Landkäufe und Annektierungen – unter anderem erwerben sie die bisher französisch dominierten Territorien und kaufen den Spaniern Florida ab.

Alamo.
So heißt die legendäre Missionsstation im texanischen San Antonio, die von mexikanischen Soldaten 1836 niedergebrannt wird. Mit dem Schlachtruf: **Remember the Alamo**, schlagen die Texaner wenig später erbarmungslos zurück, erklären noch im selben Jahr ihre Unabhängigkeit von Mexiko und schließen sich 1845 ebenfalls den Vereinigten Staaten an. Nach etlichen blutigen Scharmützeln mit den Mexikanern (1846–48) fällt in den Folgejahren der gesamte mexikanisch dominierte Südwesten in die Hände der USA, die schließlich eine eher symbolische »Ablösesumme« an den südlichen Nachbarn bezahlen. Damit ist beinahe das gesamte Staatsgebiet komplett. Eigentlich fehlt nur noch Alaska,

das 1867 für 7,2 Millionen Dollar Russland abgekauft wird. Soweit unser kleiner Überblick über die turbulenten Jahre der Staatsgründung. In diese bewegten Zeiten fallen natürlich noch etliche weitere Namen und Ereignisse, von denen wir Ihnen nun stichpunktartig einige vorstellen wollen.

Robert Fulton
baut 1807 das erste Dampfschiff für den Mississippi.

Joseph Smith
gründet 1830 in Fayette, im Bundesstaat New York, die Sekte der Mormonen.

Missouri Compromise.
Dieser politische Kompromiss gestattet 1820 die Sklaverei in Missouri, verbietet sie aber zunächst in allen Gebieten westlich des Mississippi und in den nördlichen Territorien. Die Sklaverei allerdings bleibt ein schwelendes Pulverfass zwischen den nördlichen und den südlichen Territorien.

Samuel Morse
gelingt am 24. Mai 1844 die erste telegrafische Nachrichtenübermittlung von Washington D. C. nach Baltimore.

John Brown,
radikaler Gegner der Sklaverei, erklärt, er sei von Gott ermächtigt worden, mit Waffengewalt gegen die Sklaverei vorzugehen. Mit einigen Anhängern, den so genannten **abolitionists** (abgeleitet von **abolish** – abschaffen), überfällt er das Waffenlager Harper's Ferry in Virginia, um Waffen für einen bundesweiten Aufstand der Sklaven zu beschaffen. In einem blutigen Kampf werden er und seine Anhänger überwältigt. John Brown wird in Charlestown gehängt, doch noch heute ist mit seinem Namen ein bekanntes Lied verbunden: **»John Brown's body lies mouldring in the grave, but his soul goes marching on«.** John Browns Körper verfault im Grab, aber seine Seele marschiert weiter.

Abraham Lincoln

wird 1860 zum Präsidenten der USA gewählt. Seine Wahl verschärft die Spannungen zwischen dem Norden und dem Süden noch mehr. Lincoln macht keinen Hehl aus seinem Ziel, die Sklaverei in den ganzen USA abzuschaffen. Der Süden, auf dessen ausgedehnten Baumwollplantagen beinahe ausschließlich Schwarze arbeiten, wehrt sich erbittert. Es kommt zur Abspaltung von insgesamt elf Bundesstaaten (South Carolina, Mississippi, Florida, Alabama, Georgia, Louisiana, Texas, Virginia, Arkansas, North Carolina und Tennessee). Diese konstituieren sich 1861 zum »Bund der Konföderierten«, den **Confederate States of America** und beginnen den Bürgerkrieg, **the civil war**.

Bevor wir allerdings zu diesem Thema kommen, wollen wir uns noch ein wenig mit der bemerkenswerten Figur des Abraham Lincoln beschäftigen. Über ihn sagte der Poet Stephen Vincent Benet:

Lincoln, six feet one in his stocking feet, The lank man, knotty and tough as a hickory rail. Whose hands were always too big for white-kid gloves, Whose wit was a coonskin sack of dry, tall tales, Whose weathered face was homely as a plowed field.

Lincoln, größer als sechs Fuß auf seinen bestrumpften Füßen, ein dünner Mann, knorrig und zäh wie ein Riegel aus Hickoryholz. Seine Hände waren immer zu groß für die Handschühchen der weißen Kinder, sein Witz war ein Beutel aus Waschbärhaut voller trockener, großer Eingebungen, sein verwittertes Gesicht war anheimelnd wie ein gepflügtes Feld.

Wir wagen nicht zu beurteilen, ob diese poetische Schilderung dazu angetan sein könnte, sich ein Bild dieses großen Mannes zu machen, der am 15. April 1865 vom Schauspieler John Wilkes Booth heimtückisch erschossen wurde. Wir wollen es aber keinesfalls versäumen, Ihnen einen Einblick in seine Ideale und Ansichten zu verschaffen:

**As I would not be a slave, so I would not be a master.
This expresses my idea of democracy.**
So wie ich kein Sklave sein will, will ich kein Herr sein. Das
ist meine Auffassung von Demokratie.

**No man is good enough to govern another man without
that other's consent.**
Kein Mensch ist gut genug, um über einen anderen Menschen
ohne dessen Einverständnis zu herrschen.

Lincoln war kein kriegerischer Mann, doch sein Eintreten für
die Gleichbehandlung aller Menschen vertrug sich nicht mit
der traditionellen Sklavenhalter-Mentalität der Südstaatler.
Hinzu kamen auch gewisse Neidgefühle des Südens gegenüber dem reichen Norden und dessen wirtschaftlicher Vor-
machtstellung, sodass der Bruch schließlich unausweichlich
wurde. Als den Südstaaten aufging, dass das Verlassen der
Union nicht so einfach war wie der Beitritt, begann der **Civil
war,** der Bürgerkrieg.

Fort Sumner.
Mit der Beschießung dieser Militärbasis in Charleston am
12. April 1861 durch die Konföderierten werden die Feind-
seligkeiten eröffnet. Die erste große Schlacht wird bei

Bull Run,
Fluß und gleichnamige Region in Virginia, unweit der Stadt
Manassas, geschlagen. Die Unionstruppen werden besiegt.

Emancipation Proclamation.
Mit dieser »Emanzipations-Erklärung« setzt Lincoln offiziell
am 1. Januar 1863 alle Sklaven in den rebellierenden Südstaaten frei. Damit wird der Sezessionskrieg nun auch offiziell zum Krieg um die Befreiung der Sklaven, doch ist dies
eigentlich eher ein nebensächliches Ziel im Vergleich zum
Erhalt der Union.

Homestead Act.
Dieses Gesetz tritt ebenfalls am ersten Januar 1863 in Kraft.
Demnach darf ab sofort jeder volljährige Bürger Land kaufen,
wenn er sich verpflichtet, darauf sein Heim zu errichten.

Gettysburg.
In der Schlacht bei Gettysburg wendet sich das Kriegsglück
endgültig zugunsten der Unionsarmee des Nordens. Am
1. Juli 1863 werden die Konföderierten dort entscheidend
geschlagen und sind von nun an fast permanent auf dem
Rückzug. Ihre blinde Wut hinterlässt eine Spur der Ver-
wüstung und führt unter anderem auch zum

Sand Creek Massacre.
Am Ufer des Sand Creek (Colorado) metzeln etwa 800 Soldaten der Colorado-Miliz am 29. November 1864 300 kaum
bewaffnete und friedliche Cheyenne-Indianer nieder.

Appomatox.
In diesem »Nest« in Virginia kapituliert die Armee des
Südens am 9. April 1865 schließlich bedingungslos. Der
American civil war – heute auch als »Sezessionskrieg«
bezeichnet – hatte bis zu diesem Tag 385.000 Tote und rund
300.000 Verwundete gefordert. Lincoln überlebt den Sieg
nicht lange: Am 14. April 1865 wird er vom fanatischen Süd-
staatler John Wilkes Booth bei einem Theaterbesuch in
Washington erschossen.
Vielleicht gehören auch Sie zu denjenigen, deren Amerika-
Bild von John Wayne, Gary Gooper, Kevin Costner und Clint
Eastwood geprägt wurde – will heißen, durch die filmische
Darstellung des so genannten Wilden Westens. Diese Ära
erlebte in den Jahrzehnten vor und kurz nach dem
Sezessionskrieg ihre Blüte. Tausende und Abertausende von
Siedlern machten sich von der Ostküste auf, um im men-
schenleeren Westen neues Land zu erschließen und zu besie-
deln. Ihre schier endlosen Trecks, die von Ochsen oder
Pferden gezogen wurden, trotzten den Unbilden des wechsel-

haften Wetters, den Indianern und den **Outlaws**, also den Banditen und Geächteten, die den freien Raum zwischen den Küsten zuweilen als persönliches Spielfeld benutzten.

Auch der legendäre Ruf der Cowboys – berittene Farmarbeiter – basiert meistens auf Geschichten, die in langweiligen Nächten am Lagerfeuer erzählt wurden, und mit deren Wahrheitsgehalt es niemand so genau nehmen wollte. Doch einige Figuren dieser Epoche lieferten den Stoff für Legenden, die weit über ihren Tod hinaus Bestand hatten. Die Bekanntesten unter ihnen wollen wir Ihnen natürlich vorstellen:

Billy the Kid (William H. Boney).

Geboren am 23. November 1859 in New York, soll der kleine Billy schon im zarten Alter von zwölf Jahren seinen ersten Mord begangen haben. Opfer war ein Mann, der angeblich Billys Mutter beleidigt hatte. Wenig später ging er dann in den Westen, schoss ziemlich wahllos auf jeden, dessen Gesicht ihm nicht so recht passen wollte und übernahm die Führung einer blutrünstigen Desperado-Bande. Ein ehemaliger Kumpan namens Pat Garrett jagte und stellte ihn, aber bevor er zum Galgen geführt wurde, konnte das »Milchgesicht« entkommen.

Doch drei Monate später stellte ihn Garrett in Fort Sumner in New Mexico erneut und machte diesmal wenig Federlesens: Er schoss dem »Killer mit dem Kindergesicht« eine Kugel in den Rücken. Angesichts der beeindruckenden Statistik von »Billy the Kid« sicherlich eine sinnvolle Lösung: Offiziell wegen sechs Morden angeklagt, soll »the kid« tatsächlich etwa 23 Menschen erschossen haben. Dies jedenfalls schreibt sein Jäger, Pat Garrett, in seiner Biographie.

Buffalo Bill (William Frederick Cody).

Ein Name – ein Programm: Der ehemalige Postreiter, Südstaatensöldner (nur wenige Wochen lang), und Scout der Kansas Volunteers (ein Armeeverband der Nordstaaten) schoss im Auftrag der Kansas-Pacific-Railroad innerhalb von nur 17 Monaten 4.000 Büffel und versorgte das vieltausend-köpfige Heer der Streckenarbeiter fast im Alleingang mit Fleisch. Dies sowie seine zahlreichen Kämpfe mit verschiedenen Indianern beschrieb ein gewisser Ned Buntline in bunten Groschenromanen, die die Legende von Buffalo Bill bald in alle Welt trugen. 1883 stellte William F. Cody dann eine Wildwest-Showtruppe zusammen, mit der er durch die USA und Europa tingelte. Somit ist es also offensichtlich einem geschäftstüchtigen Büffelschlächter zu verdanken, dass sich der Mythos des Wilden Westens so schnell ausbreiten konnte.

Wyatt Earp.
Bis heute weiß niemand so recht zu sagen, ob Wyatt Earp (1848–1929) nun ein Held oder ein brutaler Killer war. Tatsache ist, dass er als Deputy-Marshall in Tombstone und Dodge City für Recht und Ordnung gesorgt hatte, ehe er mit Doc Holiday, seinem Freund und Kampfgenossen, die schmale Grenze vom Gesetzeshüter zum Gesetzesbrecher übertrat. Die legendäre Schießerei am so genannten OK-Corall in Tombstone wurde seinerzeit häufig als kaltblütiger Mord bezeichnet: Einige Mitglieder der gegnerischen Clanton-Gang sollen von Wyatts Freunden aus dem Hinterhalt erschossen worden sein. Für Earp machte dies offensichtlich zu Lebzeiten keinen Unterschied. Er starb hochbetagt und hochgeachtet in Los Angeles.

Jesse James.
Am 13. Februar 1866 überfielen Jesse James, sein Bruder Frank und einige Komplizen die Bank des Städtchens Liberty in Montana. Aus heutiger Sicht scheint das eher alltäglich, doch damals war es der erste Bankraub in den USA in Friedenszeiten. Und die Tatsache, dass James ein paar der erbeuteten Dollars einigen Bedürftigen schenkte, machte ihn zu einer Art Robin Hood des Wilden Westens.
Seine Bande überfiel noch einige weitere Banken, raubte anschließend ein paar Züge aus und und führte ansonsten ein

eher bürgerliches Leben: In seiner »Freizeit« nämlich betätig-
te sich Jesse James zusammen mit seiner Frau und zwei
Kindern als Farmer und war in seinem Heimatdorf in
Colorado ein angesehener Bürger. Gefasst wurde er nie, doch
angeblich hatte die berühmte New Yorker Detektei Pinkerton
einen Killer engagiert, um ihn zu beseitigen. Der Mann hieß
Bob Ford und er erschoss Jesse James am 3. April 1882 in
St. Joseph, Montana. Pinkerton dementierte übrigens stets,
für den Tod von Mr James verantwortlich zu sein.

Red Cloud.
Der Häuptling »Rote Wolke« (geb. 1822) der Oglala Sioux war
einer der erfolgreichsten indianischen Widerstandskämpfer
und verhinderte zusammen mit den Kriegern seines
Stammes, dass durch sein Territorium eine Eisenbahnlinie
gebaut werden konnte. Bei Fort Phil Kearny im Dezember
1866 fügte der Stamm der US-Armee eine so vernichtende
Niederlage zu, dass die Weißen schließlich einen Friedens-
vertrag anboten, in dem sie auf den Eisenbahnbau verzichte-
ten und den Indianern ihr Territorium in Wyoming garan-
tierten.
Der Bozeman-Trail wurde tatsächlich nie endgültig reali-
siert, doch mit den übrigen Versprechungen der Herren aus
Washington war es nicht so weit her: Um 1880 wurde Red
Clouds Stamm umgesiedelt und ins Pine River Reservat nach
South Dakota gebracht. Dort starb der berühmte Häuptling
verbittert im Jahre 1909.

Sitting Bull.
Der Häuptling vom Stamm der Hunkpapa Sioux dürfte der
berühmteste aller Indianerführer gewesen sein. Nach seiner
Weigerung, mit seinem Stamm ins Reservat zu ziehen, fügte
er der US-Army in der Schlacht am Little Bighorn eine der
bittersten militärischen Schlappen der Geschichte zu. Die 7.
U.S.-Kavallerie unter General Custer wurde beinahe voll-
ständig aufgerieben, wobei Sitting Bull als Medizinmann
allerdings eher im Hintergrund der Kämpfe wirkte.

Zu verdanken hatten die Indianer den Triumph eher dem überragenden militärtaktischen Genie ihres zweiten Häuptlings Crazy Horse. Das Schlachtenglück stellte sich jedoch alsbald als Pyrrhussieg heraus, denn die Armee vertrieb die Indianer mit der »Politik der Nadelstiche« nach und nach vom eigentlichen Stammesgebiet.

Sitting Bull floh nach Kanada, kehrte nach der Amnestie 1881 zurück und schloss sich kurzfristig der Wildwest-Show von Buffalo Bill an. Warum er das tat, bleibt allerdings rätselhaft, denn schließlich waren es Männer wie Buffalo Bill, die mit ihrer gnadenlosen Dezimierung der riesigen Büffelherden den Indianern die Lebensgrundlage entzogen hatten. Bei einem Handgemenge wurde der berühmte Häuptling und Medizinmann im Jahr 1890 von der Indianerpolizei erschossen.

Mit dem Ende des Wilden Westens, das angeblich von der Erfindung des Automobils eingeläutet wurde, begann in den USA die Neuzeit. Die Industrialisierung machte rasende Fortschritte und zu Beginn des 20. Jahrhunderts gehörten die Vereinigten Staaten bereits zu den einflussreichsten und mächtigsten Nationen der Welt. Zugute kam ihnen unter anderem auch das Heer der Einwanderer, **the immigrants**, die ihrer alten Heimat zuhauf den Rücken kehrten. Nicht selten waren es die brillantesten Denker und größten Geister, die im gelobten Land einen neuen Anfang wagen wollten.

Wir gehen an dieser Stelle davon aus, dass Ihnen die jüngere Geschichte der USA in groben Zügen vertraut ist. Nur einige relevante Ereignisse und Themen dieses zur Neige gehenden Jahrhunderts werden in den folgenden Zitaten zur Sprache kommen.

Einen Wendepunkt der amerikanischen Außenpolitik stellte sicherlich der Zweite Weltkrieg dar:

And while I'm talking to you mothers and fathers, I give you one more assurance. I have said this before,

**but I shall say it again and again and again: Your boys
are not going to be sent into any foreign wars.**
Und während ich hier zu Ihnen spreche, Mütter und Väter,
gebe ich Ihnen noch ein Versprechen. Ich habe das schon
zuvor gesagt und ich werde es wieder und wieder und wieder
sagen: Eure Söhne werden nicht in irgendwelche Kriege im
Ausland geschickt.

Diese Rede hielt der amerikanische Präsident Franklin D.
Roosevelt bei seiner Wahlkampagne im Jahre 1940. Ein Jahr
später erklärten die Amerikaner Japan den Krieg – frei nach
dem Motto: »Was schert mich mein Geschwätz von gestern.«
Auch der Koreakrieg in den 50er Jahren, den man lange Zeit
offiziell nicht als »Krieg«, sondern als »Polizeiaktion« bezeichnen musste, hat Spuren hinterlassen:

**The wrong war, at the wrong place, at the wrong time,
and with the wrong enemy.**
Der falsche Krieg, am falschen Ort, zur falschen Zeit und mit
dem falschen Feind.

So die Einschätzung von Omar Bradley, einem ehemaligen
US-Army General.
Doch während man das Eingreifen der Amerikaner in Korea
in ihrem steten Kampf gegen das vermeintliche Vorrücken
des Weltkommunismus noch als durchaus erfolgreich bezeichnen könnte, erlebte die Nation in Vietnam nicht nur eine bit-
tere Niederlage, sondern auch den Beginn eines bis in die
heutige Zeit hineinreichenden Traumas.
Die ursprüngliche Begründung für das amerikanische Eingreifen im Konflikt zwischen dem kommunistischen Norden
und dem pro-westlichen Süden Vietnams war der so genannte »Domino-Effekt«:

**You have a row of dominoes set up; you knock over the
first one, and what will happen to the last one is that it
will go over very quickly.**

Du hast eine Reihe von Dominosteinen vor dir aufgebaut. Wenn du den Ersten umkippst, wirst du sehen, dass auch der Letzte sehr schnell umfällt.

Dwight D. Eisenhower, Präsident der USA, stellte diese Theorie nach der Niederlage der ehemaligen französischen Kolonialmacht Frankreich durch die Vietcong auf. Und an dieser hielt er auch fest, als er 1960 Präsident wurde. Warum die Amerikaner diesen Krieg trotz überlegener militärischer Ausrüstung, trotz enormen taktischen und personellen Aufwands gegen eine »Handvoll Dschungelkrieger« nicht gewinnen konnten – auch dazu gibt es eine These, die nicht ganz alltäglich ist: Das Fernsehen war schuld:

Television brought the brutality of war into the comfort of the living rooms. Vietnam was lost in the living rooms of America – not on the battlefields of Vietnam.
Das Fernsehen brachte die Brutalität des Krieges in die Gemütlichkeit der Wohnstuben. Vietnam wurde in den amerikanischen Wohnzimmern verloren – nicht auf den Schlachtfeldern von Vietnam.

Das behauptet jedenfalls Marshall McLuhan, kanadischer Medienwissenschaftler.

Tatsächlich fehlte es dem amerikanischen Volk schon recht frühzeitig an der patriotischen Begeisterung für diesen Krieg, der in einem Land ausgetragen wurde, von dessen Existenz die Mehrheit der Amerikaner bis dato noch nicht einmal etwas geahnt hatte. Den Eltern war nur sehr schwer begreiflich zu machen, warum ihre Söhne in einen Kampf ziehen mussten, der nicht der ihre sein konnte. **America first** leuchtete allen ein, doch konnte die Politik die angeblichen amerikanischen Interessen im fernen Asien immer schlechter vermitteln.
So bemühte man sich schließlich um Schadensbegrenzung: Der übereilte Rückzug aus Saigon machte die mächtige Nation über Nacht zum Gespött der Welt und ließ den Tod

von annähernd 57.000 jungen Soldaten im Nachhinein umso sinnloser erscheinen. Das »Trauma Vietnam« war geboren.

Schon vor dem Beginn des Vietnamkrieges spitzte sich innerhalb der Vereinigten Staaten ein lange schwelender Konflikt zu. Fast 100 Jahre nach der offiziellen Abschaffung der Sklaverei durfte sich nämlich die farbige Bevölkerungsminderheit noch lange nicht wirklich gleichberechtigt fühlen. Vor allem in den südlichen Bundesstaaten (Alabama, Missouri u. a.) war die Rassentrennung weiterhin Bestandteil des angeblich »gesunden« Volksempfindens.

Die besseren Schulen standen nur weißen Kindern offen, in vielen Restaurants und Geschäften hatten Farbige keinen Zutritt und auch die Verteilung des Wohlstands war fest in weißer Hand. **Martin Luther King jr.**, ein Baptistenprediger aus Atlanta, wagte es als Erster, echten Widerstand zu organisieren. 1955 initiierte er einen Boykott der farbigen Bevölkerung gegen ein Busunternehmen in Montgomery, Alabama, das in seinen Fahrzeugen getrennte Plätze für Weiße und Farbige ausgewiesen hatte.

Dies jedoch war nur der Anfang einer Kampagne, die im August 1963 in den gewaltigen »Marsch nach Washington« mündete. In einem riesigen, friedlichen Protestzug führte King über 200.000 schwarze und weiße Amerikaner vor das Lincoln-Denkmal und hielt seine berühmte Rede:

I have a dream...
The sons of the former slaves and the sons of the former slave-owners will be able to sit together at the table of brotherhood.
Ich habe einen Traum ...
Die Söhne früherer Sklaven und die Söhne früherer Sklavenhalter werden in der Lage sein, zusammen am Tisch der Brüderlichkeit zu sitzen.

Martin Luther King jr., dessen oberste Maxime stets die Gewaltlosigkeit gewesen war, starb am 4. April 1968 in Memphis, Tennessee, durch die Pistolenkugel eines Rassisten. Wie so viele große Männer Amerikas wurde er ein Opfer der fanatischen Intoleranz eines Landsmanns. Zuvor jedoch – im Jahre 1964 – hatte er den Friedensnobelpreis erhalten. Seinen Kampf um Gleichberechtigung hatte er 1963 in einem Brief aus dem Gefängnis von Birmingham, in das er wegen »Anstachelung zum Aufruhr« geworfen worden war, folgendermaßen formuliert:

Freedom is never voluntarily given by the oppressor; it must be demanded by the oppressed.
Freiheit wird niemals vom Unterdrücker freiwillig gewährt; sie muss von den Unterdrückten gefordert werden.

Ebenfalls ein Idol der farbigen Bevölkerung wurde **Malcolm X**. Im Gegensatz zu King jedoch war der gebürtige Malcolm Little der Meinung, dass die Gleichbehandlung seiner Rasse notfalls auch mit Gewalt eingefordert werden müsse und gründete deshalb die gefürchtete **Black-panther**-Bewegung, die in den Ghetto-Unruhen von New Jersey, Newmark und Detroit im heißen Sommer des Jahres 1967 zum ersten Mal mit Waffengewalt in Erscheinung tritt.
Malcolm X predigt den schwarzen Nationalismus und ruft zum bewaffneten Widerstand auf. Dabei nimmt er auch auf gemäßigtere Strömungen keine Rücksicht und wird im Februar 1965 im New Yorker Stadtteil Harlem von einem früheren Weggefährten ermordet. Seine Ansichten zum Freiheitskampf seiner **black brothers** formulierte er im Jahre 1965 bei einer Rede in New York:

You can't separate peace from freedom because no one can be at peace unless he has his freedom.
Ihr könnt den Frieden nicht von der Freiheit trennen, weil niemand wirklichen Frieden hat, wenn er nicht frei ist.

Zeitgleich mit dem Vietnamkrieg kämpfte die Großmacht USA noch an einer weiteren, einer unsichtbaren Front: Im **cold war** – dem Kalten Krieg. Hier jedoch dürfen sich die

Amerikaner mittlerweile als Sieger fühlen, hat doch der Feind im Osten seine ideologischen Waffen gestreckt. Unfreiwilliges Zentrum dieser »heiß-kalten« Auseinandersetzung zwischen den Blöcken war das seinerzeit geteilte Deutschland, dem der junge Präsident John F. Kennedy im Sommer 1963 einen historischen Besuch abstattete. Angesichts der Berliner Mauer tat er den folgenden Ausspruch:

All free man, wherever they may be, are citizens of Berlin, and therefore, as a free man, I take pride in the words: Ich bin ein Berliner.
Alle freien Menschen, wo immer sie auch sind, sind Bürger Berlins und deshalb bin ich als freier Mensch stolz zu sagen: Ich bin ein Berliner.

Die Westberliner jubelten laut, die Ostberliner heimlich – ein Mann hatte mit einem einzigen Satz einer ganzen Stadt neues Leben eingeflößt. Kennedy selbst nutzte dies wenig: Er fiel später im texanischen Dallas einem Attentat zum Opfer. Mit ihm starb eine Identifikationsfigur des amerikanischen Traums – ein Tod, der der mächtigen Nation einen unglaublichen Schlag versetzte:

the
Country has lost its innocence.
Das Land hat seine Unschuld verloren.

So lautete der Titel der Tageszeitung *New York Times* Tage nach dem Attentat und präzisierte damit eine Stimmung, die zwischen tiefer Trauer und fassungsloser Wut pendelte.

Gegen Ende dieses Kapitels beschäftigen wir uns noch mit einem weiteren unerfreulichen Abschnitt der amerikanischen Nachkriegsgeschichte, der **Watergate-affair**. Nach einem Einbruch ins Hauptquartier der Demokratischen Partei im Watergate-Hotel zu Washington, bei dem Abhörgeräte angebracht werden sollten, kamen umfangreiche Ermittlungen in Gang. Dabei stellte sich nach und nach heraus, dass **tricky**

Dicky, wie Präsident Richard Nixon von Gegnern und Anhängern gleichermaßen genannt wurde, im Zuge seiner Amtszeit schwere Rechtsverletzungen begangen hatte.

Nixons Amtsvorgänger, der ermordete John F. Kennedy, schien schon früher geahnt zu haben, was mit **tricky Dicky** auf die Nation zukommen würde:

Do you realize the responsability I carry? I'm the only person between Nixon and the White House.
Wissen Sie eigentlich um die Verantwortung, die ich trage? Ich bin die einzige Person zwischen Nixon und dem Weißen Haus.

So Kennedy anlässlich seines Wahlkampfes im Jahre 1960, an dessen Ende er einen ungemein knappen Sieg über Nixon davontrug. Nach Nixons Rücktritt fasste sein Nachfolger Gerald Ford die Erleichterung des Landes in folgende Worte:

Our long national nightmare is over. Our Constitution works, our great Republic is a government of laws and not of men. Here the people rule.
Unser langer nationaler Albtraum ist vorüber. Unsere Verfassung funktioniert, unsere großartige Republik ist ein Rechtsstaat, der von Gesetzen und nicht von Männern regiert wird. Hier regiert das Volk.

Da wir Europäer wissen, was wir den Vereinigten Staaten zu verdanken haben, beschließen wir dieses Kapitel mit einem wahrhaft staatstragenden Satz: **God bless you, America!**

Kapitel 9

American proverbs – Amerikanische Sprichwörter

An ihren Sprichwörtern sollt ihr sie erkennen

Mit Überzeugung haben wir seit jeher die Theorie vertreten, dass man den Charakter einer Sprache am ehesten an ihren Sprichwörtern, **proverbs**, erkennt. Werfen wir doch zunächst einmal einen prüfenden Blick auf unser heimatliches Idiom, lassen die Bauernregeln außen vor und erkennen eine Fülle von Volksweisheiten: »Wer anderen eine Grube grabt, fällt selbst hinein«, »Eine Hand wäscht die andere«, »Die dümmsten Bauern ernten die dicksten Kartoffeln«, »Nach unten treten – nach oben buckeln« ... und so weiter und so fort.

Ein wahrer Schatz metaphorischer Offenbarungen liegt vor uns. Doch im Gegensatz zum Amerikanischen genießen die bekanntesten unserer Sprichwörter landesweite Anerkennung. In den USA ist dies anders – frei nach dem Motto: An ihren **proverbs** sollt ihr sie erkennen. Ein Beispiel: Hierzulande gibt es den Spruch »Auch ein blindes Huhn findet mal ein Korn«. Wenn der Mann aus Dallas, Chicago oder New York die amerikanische Entsprechung dieses Ausspruchs hört, schmunzelt er vielleicht und sagt sich: »Aha – ein Landei«, denn den Ausspruch:

A blind man sometimes shoots a crow by accident.
Manchmal trifft ein Blinder versehentlich eine Krähe.

findet man fast ausschließlich im Bundesstaat Illinois. Wenn wir noch ein bisschen beim Terminus »blind« verweilen, stellen wir fest, dass auch der Nachbarstaat Indiana ein sehr spezielles Sprichwort aufzuweisen hat, das da lautet:

A blind man should not jugde colors.
Ein Blinder sollte keine Farben beurteilen.

Und den New-Yorker kann man leicht an der lakonischen Feststellung:

A blind man will not thank for a looking glass.
Ein Blinder wird sich für einen Spiegel nicht bedanken.

erkennen. Um Missverständnissen vorzubeugen, betonen wir an dieser Stelle ausdrücklich, dass manche dieser **proverbs** allüberall in den 50 Bundesstaaten akzeptiert und benutzt werden. Doch nicht zuletzt aufgrund der Größe des Landes und der höchst unterschiedlichen Herkunftsländer seiner Bewohner haben sich regional sehr spezielle Stilblüten herausgebildet. Auch die deutschen Einwanderer haben ihre Spuren hinterlassen. In Teilen von Pennsylvania wird heute noch die sinnreiche Bekräftigung:

I'm in the picture.
Ich bin im Bilde.

verwendet. Ein Kenner der sprachlichen Auswüchse hat uns gegenüber sogar behauptet, auch die Floskel »Mir stehen die Haare zu Berge«, sei dereinst so simpel wie möglich übertragen worden: »**My hair stands to mountain**«. Dafür wollen wir allerdings nicht garantieren – verwenden Sie's vorsichtshalber nicht allzu häufig.

Auf den kommenden Seiten werden wir bemüht sein, Ihnen einige der interessantesten, lustigsten, seltsamsten und sinnreichsten Sprichwörter nahe zu bringen. Die Originalität war uns bei der Auswahl allerdings wichtiger als eine eventuelle Vollständigkeit, die den Rahmen des Buches ohnehin sprengen würde. Doch auch so haben wir 'ne Menge zusammengetragen. Um Ihnen den Überblick etwas zu erleichtern, haben wir uns für eine alphabetische Auflistung nach den jeweiligen Stichworten entschieden. Viel Spaß!

A

Ability is the poor man's wealth.
Fähigkeit ist des armen Mannes Reichtum. Gebräuchlich in New Jersey, North Carolina und manchen Regionen Kanadas.

A little absence does much good.
Ein bisschen Distanz tut recht gut. Gebräuchlich in Mississippi.

Absence makes the heart grow fonder, but don't stay away too long.
Entfernung lässt die Liebe wachsen, aber bleibe nicht zu lange weg. In den ganzen Vereinigten Staaten gebräuchlich. Dieses **proverb** ist ein gutes Beispiel dafür, dass ähnlich lautende Aussagen manchmal grundverschiedene Bedeutungen haben. Denn:

Absence makes the heart wander.
Abwesenheit lässt das Herz auf Wanderschaft gehen.

Das widerspricht der ursprünglichen Kernaussage doch ganz gewaltig. Es folgt eine für ländliche Gegenden typische Mischung aus Gottesfürchtigkeit und Fatalismus:

Accident is a word not to be found in the divine vocabulary.
Unfall (auch: Missgeschick oder Zufall) ist ein Begriff, der sich im göttlichen Wortschatz nicht entdecken lässt. Gebräuchlich in Wisconsin.

Aim the stars, but keep your feet on the ground.
Nimm dir die Sterne als Ziel, aber bleib mit den Füßen auf
dem Boden. Gebräuchlich in ganz Nordamerika.

Bleiben wir noch einen Moment beim Thema »Missgeschicke« und entdecken eine Phrase, die uns auch im Deutschen durchaus vertraut ist:

Accidents will happen in the best of families.
Missgeschicke passieren auch in der besten Familie. Verbreitet in ganz Nordamerika (Mit »Nordamerika« meinen wir natürlich die USA, also das Land der unbegrenzten Möglichkeiten und nicht die kontinentalen Begrenzungen...)

Wie auch in Europa, haben sich Sprichwörter in den Vereinigten Staaten im Laufe der Generationen zu einer moralisch-verbalen Institution gemausert, stehen sie doch häufig für eine ethische, manchmal auch religiöse Sicht der Dinge. So werden sie auch als »Erziehungskrücken« gern und oft verwendet. Ein gutes Beispiel dazu lautet:

Never accuse others to excuse yourself.
Beschuldige niemals andere, um dich selbst zu entschuldigen. Gebräuchlich in Kansas und Ohio.

Every minute you are angry you lose sixty seconds of happiness.
Mit jeder Minute, die du wütend bist, verlierst du 60 Sekunden Glücksgefühl. Gebräuchlich in Kentucky und Tennessee.

B

Things are never as bad as they seem.
Die Dinge sind niemals wirklich so schlecht wie sie scheinen. Gebräuchlich in ganz Nordamerika.

When things are bad, they get good; and when they are good, they get bad.
Wenn die Dinge schlecht laufen, werden sie wieder besser. Und wenn sie gut laufen, werden sie garantiert wieder schlechter. Gebräuchlich in ganz Nordamerika.

Recht makaber klingt uns die folgende Botschaft:

A barber learns to shave by shaving fools.
Ein Barbier (hierzulande: Friseur) lernt das Rasieren beim
Rasieren von Idioten. Gebräuchlich in Kalifornien, New
Jersey, New York und Illinois.

Was wohl bedeutet, dass beim Streben nach Perfektion auch
minderwertige Opfer in Kauf genommen werden müssen. Die
moralische Beurteilung dieses Ausspruchs möchten wir lieber
Ihnen überlassen, doch ist der Barbier – nur der von Sevilla
hat es wohl leichter – ohnehin häufig Zielscheibe recht bösar-
tigen Humors:

The bad barber leaves neither hair nor skin.
Der schlechte Barbier lässt weder Haare noch Haut übrig.
Gebräuchlich in Illinois.

Was wir getrost als »Wenn ein Trottel schon Mist baut, dann
aber gründlich« interpretieren dürfen.

Beim Buchstaben »B« verweilend, kommen wir nicht umhin,
eines der amerikanischsten Themen überhaupt anzuschnei-
den: den Schönheitskult.
Der Aufwand, der hier um die Schönheit – **beauty** – getrieben
wird, ist immens. Ob Gesichts- oder Po-Lifting, ob Silikonbrüste
oder begradigte Nasen – die Schönheitschirurgen beider Küsten
profitieren ungehemmt von der Sehnsucht nach äußerlicher
Vollkommenheit. Hässlichkeit wird in der Regel nur in origineI-
ler Form geduldet und gilt im Übrigen als ein untrügliches Indiz
für soziale Unverträglichkeit – sprich: für fehlenden Wohlstand.
Auch zum Thema **beauty** einige Beispiele:

Beauty comes from the soul.
Schönheit entspringt der Seele. Gebräuchlich in Wisconsin.

Beauty is a fading flower.

Schönheit ist eine welkende Blume. Gebräuchlich in Kalifornien.

Beauty is a good client.
Schönheit ist ein guter Kunde. Gebräuchlich in North Dakota.

Beauty is its own excuse for being.
Schönheit ist ihre eigene Entschuldigung. Oder auch: Schönheit braucht keine Entschuldigung. Gebräuchlich in New York und South Carolina.

Beauty is no inheritance.
Schönheit ist nicht vererbbar. Gebräuchlich in Texas.

Beauty is power; a smile is its sword.
Schönheit ist Macht; ein Lächeln ist ihr Schwert. Gebräuchlich in Oregon.

Beauty is the bloom of youth.
Schönheit ist die Blüte der Jugend. Gebräuchlich in New York und South Carolina.

Beauty is vain.
Schönheit ist leer (auch: eitel). Gebräuchlich in Kalifornien – ja, genau: ausgerechnet in Kalifornien!

Beauty without honesty is like a poison kept in a box of gold.
Schönheit ohne Ehrlichkeit ist wie Gift in einer goldenen Verpackung. Gebräuchlich in Michigan.

Where beauty is, there will be love.
Wo es Schönheit gibt, wird es Liebe geben. Gebräuchlich in New Jersey.

Und so weiter, und so fort. Sie sehen schon – unsere keinesfalls erschöpfende Auswahl macht deutlich, wie sehr das

Begin nothing until you have considered how it is to be finished.
Fange nichts an, bevor du dir nicht genau überlegt hast, wie du es zu Ende bringen willst. Gebräuchlich in Michigan.

Thema »Schönheit« bereits Generationen von Amerikanern gefesselt hat.

Wenden wir uns wieder etwas handfesteren Inhalten zu:

The loudest bell does not always have the sweetest tone.
Die lauteste Glocke hat nicht immer den hübschesten Klang. Gebräuchlich in Kansas.

The best things in life are free.
Die besten Sachen im Leben gibt es umsonst. Dieser Spruch wird in ganz Nordamerika gebraucht.

Big men are usually little men who took advantage of opportunity.
Große Männer sind gewöhnlich kleine Männer, die die Gelegenheit beim Schopf ergriffen haben. Gebräuchlich in Kalifornien und Colorado.

Bigamy is having one wife too many; monogamy is the same.
Bigamie bedeutet, eine Frau zu viel zu haben; Monogamie bedeutet dasselbe. Gebräuchlich in Wisconsin.

Natürlich distanzieren wir uns von einer solchen Definition, zumal wir uns nicht einmal vorstellen können, was diese Aussage andeuten möchte.

Human blood is all one color.
Menschliches Blut hat überall dieselbe Farbe. Gebräuchlich in ganz Nordamerika.

So wie uns das eben gelesene Zitat in seiner unnachahmlichen Schlichtheit an die Ursprünge des amerikanischen Traums erinnert hat, die von Abraham Lincoln und viel später auch von Martin Luther King (siehe Kapitel 8) wieder zum Leben erweckt wurden, so beweist uns der folgende Satz,

A book is like a garden carried in the pocket.
Ein Buch ist wie ein Garten, den man in seiner Hosentasche
mit sich trägt. Gebräuchlich in Minnesota.

dass zumindest der gebildete Amerikaner nicht nur **business** und **success** in seiner Seele trägt:

A good book is a great companion.
Ein gutes Buch ist ein großartiger Kamerad. Gebräuchlich in Indiana und North Carolina.

Das soeben zu Papier Gebrachte betrachten wir übrigens als kleine Werbung in eigener Sache.
Nachdem wir auf den vorangegangenen Seiten bereits der Schönheit eine ausführliche Würdigung zuteil werden ließen, wollen wir uns jetzt noch einem weiteren amerikanischen Ideal widmen: der Tapferkeit. Ein quasi »offizielles Ideal«, das schon in der Nationalhymne mit **Home of the brave**, »Heimat der Tapferen«, manifestiert wurde und im Laufe der Jahrhunderte scheinbar nichts von seiner Aktualität eingebüßt hat. Das Thema bringt es natürlich mit sich, dass besonders markige **proverbs** im Umlauf sind:

The brave are born from the brave and good.
Die Tapferen stammen von den Tapferen und Guten ab. Gebräuchlich in Indiana.

The brave man has no country but mankind.
Der Tapfere steht nicht für ein Land, sondern für die Menschheit. Gebräuchlich in Illinois.

Übrigens ist dieser Satz in den Vereinigten Staaten naturgemäß nicht unumstritten, denn schließlich gilt der Patriotismus hierzulande als eine kaum überbietbare Tugend. **America first** – Amerika zuerst, dürfte als Motto in den meisten Köpfen höher angesiedelt sein, als die Lobpreisung der gesamten Menschheit.

The brave man holds honor far more precious than life.
Dem tapferen Mann bedeutet die Ehre wesentlich mehr als das Leben. Gebräuchlich in ganz Nordamerika. Es entspricht auch dem geflügelten Wort:

Business is like a car. It will not run by itself except downhill.
Das Geschäft ist wie ein Auto. Es wird nicht von alleine laufen – außer es geht bergab. Gebräuchlich in Oregon.

Better death than dishonor.
Lieber tot als ehrlos.

Wir gehen an dieser Stelle davon aus, dass all diejenigen, die dieses beliebte Sprichwort häufig im Munde führen, niemals in die Lage kommen, es am eigenen Leib auf seine Durchführbarkeit zu überprüfen. Für sie sind außerdem in Hollywood immer noch genügend Drehbuchautoren tätig, die den fehlenden eigenen Machismo mit entsprechendem Nonsens kompensieren. John Wayne hat zumindest nicht schlecht davon gelebt! Hier noch eine kleine Bestätigung unserer Theorie:

It is easy to be brave from a safe distance.
Es ist leicht, aus sicherer Entfernung tapfer zu sein. Gebräuchlich in Oregon: Gepriesen sei der gesunde Menschenverstand!

Das Thema **business** haben wir ja eigentlich bereits im allerersten Kapitel dieses Buches abgehandelt, doch wollen wir Ihnen zwei Schlagworte dennoch nicht vorenthalten:

Business is the blood of our national life.
Geschäft ist das Blut unserer Nation. Geprägt in New York und gebräuchlich in ganz Nordamerika.

C

Unsere Kollektion zum Buchstaben »C« beginnen wir zur Abwechslung mal mit einem durchaus gesundheitsfördernden Tipp, der sich über die folgende Metapher erschließt:

Don't burn a candle at both ends.
Zünde eine Kerze nicht an beiden Enden an. Gebräuchlich in ganz Nordamerika. Eine an beiden Enden brennende Kerze bezeichnet im amerikanischen Sprachgebrauch eine Person, die sich schnell verschleißt, die also »ausbrennt«.

Nach dieser eindrucksvollen Metapher wenden wir uns nun einer Plattheit zu, die ungemein vertraut klingt:

Two captains will sink a ship.
Zwei Kapitäne werden das Schiff zum Sinken bringen.
Gebräuchlich in Washington. Das bedeutet soviel wie: »Viele
Köche verderben den Brei« und tatsächlich gibt es auch die
Variante: **Too many cooks spoil the brew.**

Lucky at cards, unlucky in love.
Glück mit den Karten, Unglück in der Liebe. Dieser Spruch
ist in ganz Nordamerika gebräuchlich und bedeutet soviel
wie: Glück im Spiel, Pech in der Liebe.

Da wir vorher schon bei der Tapferkeit waren, wollen wir es
zum Schluss nicht versäumen, ein weiteres Schlaglicht auf
den amerikanischen Idealcharakter zu werfen:

**Character and work go together in nine cases out of
ten.**
In neun von zehn Fällen passen Charakter und Arbeit zusammen. Gebräuchlich in North Carolina.

D

Wenden wir uns nun dem Buchstaben »D« zu, bei dem wir uns
zunächst das Wort »**danger**«, »Gefahr«, herausgepickt haben.

A common danger causes common actions.
Eine allgemeine (auch: gemeinsam erlebte) Gefahr führt zum
gemeinsamen Handeln. Gebräuchlich in Illinois.

A danger foreseen is half avoided.
Eine Gefahr vorauszusehen, heißt beinahe schon, sie zu ver-
meiden. Gebräuchlich in Kalifornien und Indiana.

The more danger, the more honor.
Je mehr Gefahr, desto mehr Ehre. Gebräuchlich in Oklahoma.
Auch übersetzbar mit: Viel Feind, viel Ehr.

Und bei diesem Thema »stolpern« wir geradezu über ein in
der Einleitung bereits erwähntes deutsches Lieblingssprich-
wort: »Wer anderen eine Grube gräbt...«:

**It's dangerous to dig pits for other folks; you'll fall in
yourself.**

Es ist gefährlich, anderen Fallen zu bauen; du wirst selbst hineinfallen. Gebräuchlich in ganz Nordamerika.

Eine wahre Fundgrube an Lebensweisheiten aller Art ist das Wörtchen »**day**«. Ein paar Beispiele gefällig?

A bad day never has a good night.
Einem schlechten Tag folgt niemals eine gute Nacht. Gebräuchlich in Rhode Island.

A day lost is never found.
Ein verlorener Tag bleibt unauffindbar. Gebräuchlich in Oklahoma.

A wise man's day is worth a fool's life.
Der Tag eines Weisen ist so viel wert wie das Leben eines Trottels. Gebräuchlich in Ohio.

Do not wait for a rainy day to fix your roof.
Warte nicht auf einen Regentag, um dein Dach zu reparieren. Gebräuchlich in Minnesota und entspricht dem deutschen Vers: »Was du heute kannst besorgen, das verschiebe nicht auf morgen.«

Live each day as though it were your last.
Lebe jeden Tag, als wäre es dein letzter. Gebräuchlich in Indiana und Vermont.

Live only for this day and you ruin tomorrow.
Lebe nur für diesen Tag und du wirst morgen ruiniert sein. Gebräuchlich in Wisconsin.

No day passes without some grief.
Kein Tag geht ohne ein bisschen Kummer vorbei. Gebräuchlich in Rhode Island.

The good old days were once the present, too.

Die guten alten Tage waren auch einmal Gegenwart. Gebräuchlich in Tennessee.

The day has eyes, the night has ears.
Der Tag hat Augen, die Nacht hat Ohren. Gebräuchlich in Ohio.

Two good days for a man in his life: When he weds and when he burries his wife.
Es gibt zwei gute Tage im Leben eines Mannes: wenn er heiratet und wenn er seine Frau begräbt. Gebräuchlich in Kalifornien – kein Kommentar unsererseits.

Zahlreiche Legenden, Sagen und Schauermärchen ranken sich im zuweilen arg puritanischen Amerika um den Teufel. Auch im Deutschen kennt man eine Fülle von Flüchen und Sprichwörtern, die sich mit dem Beelzebub auseinander setzen, doch wirkt unser Repertoire gegenüber der amerikanischen Vielfalt geradezu ärmlich.

Fight the devil with his own tools, or fight the devil with fire.
Bekämpfe den Teufel mit seinen eigenen Werkzeugen (Waffen) oder bekämpfe ihn mit Feuer. Gebräuchlich in South Carolina – übersetzbar auch als »Feuer mit Feuer bekämpfen« oder »Jemanden mit seinen eigenen Waffen schlagen«.

Give the devil an inch and he will take an ell.
Gib dem Teufel einen Inch (kleines Längenmaß) und er wird eine Elle (größeres Längenmaß) nehmen. Gebräuchlich in South Carolina – übersetzbar als »Gibst du ihm den kleinen Finger, wird er gleich die ganze Hand nehmen«.

Give the devil rope enough and he will hang himself.
Gib dem Teufel genug Seil und er wird sich selbst aufhängen. Gebräuchlich in North Carolina.

The devil could not be everywhere so he made children.
Der Teufel konnte nicht überall sein und so erschuf er die Kinder. Gebräuchlich in Kalifornien und New York.

Sie merken schon: Der Teufel ist in den USA wirklich in aller Munde und der Umgang mit ihm ist zwanglos geworden. Tatsächlich steht **devil** schon lange nicht mehr als Synonym für Satanisches, sondern eher für die Versuchung – eine erstaunlich bibelnahe Interpretation –, für vermeidbare Missgeschicke und die Widrigkeiten des täglichen Lebens. »Der Teufel steckt im Detail«, sagt man in Deutschland und ähnlich entmystifiziert ist Gottes Gegenspieler auch in der amerikanischen Umgangssprache aufgegangen. Eine Gefahr für unser Seelenheil? Wohl kaum...

The devil is not idle.
Der Teufel ist nicht faul. Gebräuchlich in Alaska.

The devil protects his own.
Der Teufel beschützt die Seinen. Gebräuchlich in ganz Nordamerika.

The devil takes the hindmost.
Den Letzten wird der Teufel holen. Gebräuchlich in ganz Nordamerika, im Sinne von: »Den Letzten beißen die Hunde.«

Und bevor wir unseren »teuflischen« Abschnitt beenden, noch ein letzter Gruß an die Menschen in Alaska:

Where the devil can't go, he sends his grandmother.
Wo der Teufel nicht hin kann, dahin schickt er seine Großmutter. Gebräuchlich in Alaska.

Das wirft die aus theologischer Sicht hochinteressante Frage nach dem Stammbaum des Teufels auf, der wie uns aber hier nicht stellen. Vielmehr wenden wir uns dem nächsten Buchstaben zu.

The devil never misses the bus.
Der Teufel verpasst niemals den Bus (im übertragenen Sinn:
den Anschluss). Gebräuchlich in Kalifornien und New York.

E

Und hier gelangen wir zu einem weiteren Symbol amerikanischer Freiheitsliebe – dem stolzen Adler:

The old age of an eagle is as good as the youth of a sparrow.
Das hohe Alter eines Adlers ist mindestens ebenso gut wie die Jugend eines Spatzen. Gebräuchlich in Illinois und Wisconsin. Spatzen könnten anders darüber denken!

Dem kurzen Ausflug in die Tierwelt schließen wir eine Annäherung an das simple Wörtchen »**easy**«, »einfach« oder »leicht«, an. Vor allem im Süden der Vereinigten Staaten hat **easy** eine Art träge-dynamisches Eigenleben entwickelt. Von hier aus ging die Aufforderung: **Take it easy**, »Nimm's leicht!«, um die Welt und in der Jazz-Metropole New Orleans spielt auch der Film *The big easy* mit Ellen Barkin und Dennis Quaid, den wir Ihnen an dieser Stelle wärmstens ans Herz legen wollen. Doch natürlich existieren auch die etwas moralinsauren Betrachtungsweisen:

Easy got, easy gain; short joy, long pain.
Leicht gekriegt, schnell verdient; kurze Freude, langer Schmerz. Gebräuchlich in Mississippi.

Some things seem easy at first, but they're easier said than done.
Manche Angelegenheiten sehen zunächst einfach aus, aber sie sind leichter gesagt als getan. Gebräuchlich in New York und Oklahoma.

Take-it-easy and a live-long are brothers.
Die Dinge leicht nehmen und ein langes Leben sind Brüder. Gebräuchlich in Mississippi.

Während wir Zitierenswertes zum Buchstaben »E« sammelten, fielen uns noch die zwei folgenden, recht amüsanten Anmerkungen auf:

Enjoy yourself, it's later than you think.
Genieße dein Leben, es ist später als du denkst. Gebräuchlich in ganz Nordamerika.

Enough is what would satisfy us if the neighbors didn't have more.
Genug ist das, was uns zufrieden stellen würde, wenn die Nachbarn nicht noch mehr hätten. Gebräuchlich in North Dakota.

F

Den größten Raum unserer diversen Sprichwörtersammlungen beim Buchstaben »F« nimmt das Wort »**face**« (»Gesicht« als Substantiv bzw. »jemanden anschauen«, »gegenüberstehen«, »konfrontiert werden« als Verb) in Anspruch. Gehen wir am besten gleich in medias res:

A face without a smile is like a latern without a light.
Ein Gesicht ohne Lächeln ist wie eine Laterne ohne Licht. Gebräuchlich in Mississippi und North Carolina.

A good face needs no paint.
Ein gutes Gesicht braucht keinen Anstrich (gemeint ist natürlich »Schminke«). Gebräuchlich in Colorado und New Jersey.

A long face shortens your list of friends.
Ein langes Gesicht kürzt die Liste deiner Freunde. Gebräuchlich in New York und Vermont.

A pretty face has ruined many a man.
Ein hübsches Gesicht hat schon viele Männer ruiniert. Gebräuchlich in ganz Nordamerika.

Long faces make short lives.
Lange Gesichter machen das Leben kurz. Gebräuchlich in Kansas.

Turn your face to the sun and the shadows will fall behind you.
Dreh dein Gesicht zur Sonne und die Schatten werden hinter dich fallen. Gebräuchlich in ganz Nordamerika.

When men come face to face, their differences vanish.
Wenn sich Menschen Aug in Aug gegenüberstehen, verschwinden ihre Unterschiede. Gebräuchlich in Indiana.

Das Gesicht als Spiegel der Seele – zuweilen haben sie also doch eine poetische Ader, die Amerikaner. Dies wird auch beim beinahe zärtlichen Umgang mit dem Wort »**faith**« deutlich, was »Treue«, »Glauben« oder »tiefes Vertrauen« bedeutet.

All fails when faith fails.
Alles geht schief, wenn es am Glauben fehlt. Gebräuchlich in New York.

Faith begins where reason stops.
Der Glaube beginnt dort, wo die Logik endet. Gebräuchlich in Minnesota und New York.

He who is small in faith will never be great but in failure.
Derjenige, der kleinmütig im Glauben ist, wird niemals groß werden, außer wenn es ums Versagen geht. Gebräuchlich in Florida.

Better to be faithful than successful.
Besser gläubig sein, als erfolgreich. Gebräuchlich in Kansas.

Faith is the vision of the heart.
Vertrauen ist die Vision des Herzens. Gebräuchlich in Missouri.

Reizend, nicht wahr? Wie in vielen amerikanischen Redewendungen offenbart sich auch hier eindeutig der religiös geprägte Ursprung, der in der englischen Muttersprache bei weitem nicht so ausgeprägt ist. Wir haben im Verlauf der vorangegangenen Kapitel schon häufiger die amerikanische Angst vor dem Versagen angesprochen. Verlierer sind nicht gern gesehen und sich mit einem **loser** abzugeben, ist eindeutig schlecht fürs Image. Folgerichtig also, dass der Durchschnittsamerikaner es so gut wie möglich vermeidet, **faults** (Fehler) zu begehen.

By others' faults wise men correct their own.
Weise Menschen lernen durch die Fehler anderer, eigene zu korrigieren. Gebräuchlich in Ontario.

Forgive every man's faults except your own.
Vergib allen ihre Fehler, aber dir nicht deine eigenen. Gebräuchlich in Wisconsin.

Avoid great faults by keeping away from small ones.
Vermeide große Fehler, indem du dich von den kleinen fernhältst. Gebräuchlich in Illinois.

Ähnlich wie mit den Fehlern verhält es sich auch mit der Furcht: **fear**. Zumindest nicht anmerken lassen sollte man sie sich. Kein Wunder, in einem Land, das so viel auf Tapferkeit und Mannesmut hält. Die Aussagekraft der folgenden Sprichwörter orientiert sich also an einem Idealbild, das man zuweilen durchaus als antiquiert bezeichnen könnte. Dennoch, auch archaische Tugenden können für den ach so aufgeklärten Mitteleuropäer durchaus einen gewissen Reiz aufweisen:

A slave to fear creates a hell on earth.
Ein Sklave der Furcht zu sein, erschafft eine Hölle auf Erden. Gebräuchlich in Illinois.

Fear always springs from ignorance.
Furcht entstammt immer der Unwissenheit. Gebräuchlich in New York.

Don't let fear hold you back.
Lass dich durch Furcht nicht bremsen (wörtlich: zurückhalten). Gebräuchlich in Oklahoma.

Und um die »tapferen« Ansichten zu untermauern, unser kleiner Seitenhieb an alle tumben Helden:

Fear is the beginning of wisdom.
Furcht ist der Anfang der Weisheit. Gebräuchlich in New York.

Eigentlich meint das Wort »**fool**« einen Verrückten, einen echten Irren, einen Wahnsinnigen. Doch da die Amerikaner schon seit jeher zu Übertreibungen neigten, belegten sie alsbald schon den schlichten Trottel und den unbedarften Tor mit diesem Wort, das dadurch zum beliebtesten Schimpfwort aller Generationen wurde. Die Frage: »**Are you foolish, man?**«, richtet sich also nicht unbedingt an klinisch getestete Irre. Ähnlich wie das deutsche »Spinnst du?«, wird vielmehr ein Verhalten nachgefragt, das leichtes oder auch schweres Unverständnis hervorruft. Und auch die Beschimpfung: »**You're a fool!**«, ist in der Regel eher freundschaftlich oder liebevoll-anerkennend gemeint und wird häufig mit einem herzhaften Schulterklopfen begleitet. Die Bayern haben dazu eine schöne Entsprechung: »Bist halt scho' a Hund!«, die ebenfalls eher bewundernd einzustufen ist.
Mit **fool** ist das allerdings nicht immer so, wie die folgenden **proverbs** beweisen:

A fool always finds a bigger fool to praise him.
Ein Trottel findet stets einen noch größeren Trottel, der ihm huldigt. Gebräuchlich in New Jersey und Ontario.

A fool can ask more questions in a minute than a wise man can answer in one hour.
Ein Idiot kann in einer Minute mehr Fragen stellen als ein weiser Mann in einer Stunde beantworten kann. Gebräuchlich in ganz Nordamerika.

A fool is born every minute.
Jede Minute wird ein Trottel geboren. Gebräuchlich in Ohio und Ontario.

A fool's mouth is his destruction.
Die Klappe (wörtlich: der Mund) eines Idioten ist sein Untergang. Gebräuchlich in ganz Nordamerika.
Sie merken schon – vermeintlich Minderbegabte haben es nicht leicht, sich gegen die scharfe Zunge des Volksmunds zu behaupten. Doch gibt es auch durchaus andere Betrachtungsweisen, die das Schablonendenken amüsant ad absurdum führen:

All men are fools, but the wisest of fools are called philosophers.
Alle Menschen sind Trottel, aber die klügsten der Trottel werden Philosophen genannt. Gebräuchlich in Ontario.

A man's a fool till he's 40.
Ein Mann ist ein Trottel, bis er 40 ist. Gebräuchlich in Kentucky, Ohio und Tennessee. Das gemahnt uns ans schöne »Schwabenländle«, denn dort hat man mit 40 Jahren das so genannte »Schwabenalter« erreicht und wird endlich richtig ernst genommen: »Mit 40 wird der Schwob erscht g'scheit«.

Zum Abschluss des Buchstabens »F« noch ein Satz, den Sie selbst auf seine Richtigkeit hin überprüfen sollten. In zwielichtiger Gesellschaft können Sie damit gewiss jederzeit reüssieren. Es geht darum, wie man Spaß erlebt und **fun** versteht:

Everything that's fun is either illegal, immoral or fattening.
Alles, was Spaß macht, ist entweder illegal, unmoralisch oder macht dick. Gebräuchlich in Michigan und Minnesota.

G

Beim Buchstaben »G« haben wir uns in Ermangelung seitenfüllender Stichworte auf drei **proverbs** beschränkt, die allerdings viel über den amerikanischen Charakter aussagen:

Genius without education is like silver in the mine.
Ein Genie ohne Ausbildung ist wie Silber in der Mine. Gebräuchlich in Illinois, Wisconsin und New York.

It always pays to be a gentleman.
Es lohnt sich immer, ein Gentleman zu sein. Gebräuchlich in New York.

Auf die Übersetzung des Wortes »**gentleman**« verzichten wir an dieser Stelle; Ihrer Definitionsfreudigkeit sollen keine Grenzen gesetzt werden.

Nothing will ruin an interesting intellectual conversation any quicker than the arrival of a pretty girl.
Nichts wird eine interessante intellektuelle Unterhaltung schneller ruinieren als die Ankunft eines hübschen Mädchens. Gebräuchlich in New York.

The whisper of a pretty girl can be heard further than the roar of a lion.
Das Flüstern eines hübschen Mädchens kann weiter gehört werden als das Gebrüll eines Löwen. Gebräuchlich in Wisconsin.

H

Mittlerweile beim Buchstaben »H« angelangt, stürzen wir uns mit voller Begeisterung auf den Begriff »**happiness**«: das empfundene Glück oder die Glückseligkeit. Wie viel Lebensfreude, wie viel strahlender Optimismus liegt in diesem Wort, das sich eben nicht einfach mit »Glück« übersetzen lässt. Glück ist etwas, was einem widerfahren, begegnen oder zustoßen kann, etwas, das man erfährt und genießt. **Happiness** hingegen beschreibt eine Stimmung ebenso wie eine Einstellung; sie ist ein Frosch, der ganz oben auf der Wetterleiter balanciert und ein buntes Hütchen schwenkt.

Happiness is a butterfly.
Glückseligkeit ist ein Schmetterling. Gebräuchlich in Indiana.

Happiness is a perfume that you cannot pour on others without spilling a little on yourself.
Gücksgefühl ist ein Parfüm, das du nicht über andere gießen kannst, ohne davon ein wenig über dich selbst zu verspritzen. Gebräuchlich in Oregon. Liebe Amerikaner: Parfüm wird eigentlich weder vergossen noch verspritzt oder gar geschüttet – Parfüm wird zerstäubt. So viel zu eurem »Savoir-vivre«, ihr Banausen!

Happiness is a form of courage.
Glückseligkeit ist eine Form des Mutes. Gebräuchlich in Indiana.

Happiness is what you make of it.
Glück ist das, was du daraus machst. Gebräuchlich in Alabama.

Besonders einleuchtend erscheint uns auch die folgende Definition, die wir Ihnen zur Nachahmung empfehlen:

Happiness makes health; health makes more happiness.
Glücksgefühle machen gesund; Gesundheit macht glücklicher. Gebräuchlich in Indiana, New York und Ohio.

Real happiness is found not in doing the things you like to do, but in liking the things you have to do.
Wahres Glück findest du nicht in den Dingen, die du gerne tust, sondern wenn du die Dinge magst, die du tun musst. Gebräuchlich in Ontario.

Zum Schluss noch ein wenig Philosophie:

So long as we can lose any happiness we possess some.
So lange wir noch irgendein Glücksgefühl verlieren können, besitzen wir es noch. Gebräuchlich in South Carolina.

Damit müssten Sie nun in puncto »Glücklich-Sein – leicht gemacht« bestens versorgt sein, und wir wenden uns wieder ernsteren Themen zu. (Nein – nicht aufhören zu lesen! Waren wir im Verlauf dieses Buches etwa schon jemals richtig ernst? Na also!)

Eine scheinbar sehr deutsche Redensart wurde von den ersten Einwanderern prompt und unverändert in die neue Landessprache übernommen: »Er verliert den Kopf«, was natürlich in den Tagen der französischen Revolution eine wesentlich »einschneidendere« Bedeutung hatte als die heute verwendete Phrase.
He loses his head bedeutet, der Bezeichnete ist im Begriff, seine Beherrschung oder seine Kontrolle zu verlieren. Doch rund um das Wort »**head**« existieren noch eine Menge weiterer Redensarten:

Don't lose your head: count first to ten.
Verlier nicht deinen Kopf; zähl erstmal bis Zehn. Gebräuchlich in North Carolina.

A head that is hard as a rock will burst into pieces.

Ein Kopf, der hart wie ein Felsen ist, wird eines Tages in Stücke zerspringen. Gebräuchlich in Kentucky und Tennessee. Gemeint ist natürlich ein Sturkopf, den Sie durchaus mit **rockhead** übersetzen können. Achten Sie allerdings auf Ihre Betonung, sonst wird **rocket** – Rakete daraus, und dies könnte zu Missverständnissen führen.

If you don't use your head, you must use your legs.

Wenn du deinen Kopf nicht benützt, musst du deine Beine gebrauchen. Gebräuchlich in Oklahoma und Ontario. Entspricht natürlich dem deutschen Vers: »Was man nicht im Kopf hat, muss man in den Beinen haben.«

Soweit unsere kleine Auswahl zum Thema »Kopf«, der in den USA übrigens nicht mit »Birne« (**pear**), noch mit »Rübe« (**carrot, beet** oder **rape**) oder gar mit »Erbse« (**pea**) umschrieben wird. Als einzige – jugendfreie – Schmähung dieses Körperteils ist den Autoren das Wort **balloon** (Ballon) bekannt.

Vom Kopf rücken wir nun anatomisch ein Stückchen weiter nach unten und treffen auf das Herz: **heart**. Überflüssig zu erwähnen, dass dieses Organ dem Menschen weit mehr bedeutet als nur eine hoffentlich funktionierende Blutpumpe. Der Sitz der menschlichen Seele wird hier seit Jahrtausenden vermutet und auch die Einführung von Transplantationsverfahren konnte an »Herzschmerzen«, »übervollen Herzen«, »Herzeleid«, »jubelnden und liebenden Herzen« und »Herzenswünschen« nichts ändern. Warum also sollte dies in Amerika anders sein?

A great heart is never proud.

Ein großes Herz ist niemals stolz. Gebräuchlich in Ontario.

A good heart cannot lie.

Ein gutes Herz kann nicht lügen. Gebräuchlich in ganz Nordamerika.

Use your head for something besides a hat rack.
Gebrauche deinen Kopf nicht nur als Hutständer. Gebräuchlich in Alabama, Mississippi und North Carolina.

A light heart lives long.
Ein leichtes Herz lebt lange. Gebräuchlich in Indiana und
New Jersey.

A heart without love is like a violin without strings.
Ein Herz ohne Liebe ist wie eine Geige ohne Saiten. Gebräuchlich in New York.

A loving heart is better and stronger than wisdom.
Ein liebendes Herz ist besser und stärker als Weisheit.
Gebräuchlich in Kentucky und Tennessee.

Genug der Plattheiten. Uns kommen die eben zitierten
Sprüche doch etwas peinlich vor. Ihnen auch? Volkes Stimme
muss doch noch Geistvolleres über das edle Organ gesagt
haben:

A man's heart at thirty is either steeled or broken.
Das Herzen eines Mannes um die 30 ist entweder gestählt
oder gebrochen. Gebräuchlich in Alabama.

**Loving hearts find peace in love; clever hearts find
profit in it.**
Liebende Herzen finden Frieden in der Liebe; clevere Herz-
chen machen Gewinn daraus. Gebräuchlich in Indiana.

Na bitte – es geht doch! Ein wenig Esprit kann man sich doch
wohl auch bei einem derart emotionsbefrachteten Thema
erwarten. Und der Beste kommt noch!

**An honest heart being the first blessing, a knowing
head is the second.**
Ein ehrliches Herz ist der erste Segen, ein wissender Kopf der
zweite. Gebräuchlich in South Carolina.

Nachdem wir vor einer Weile schon den Teufel (**devil**)
erwähnt haben, können wir natürlich auch die Hölle (**hell**)

nicht außen vor lassen. So wie der Teufel, hat das Wörtchen »**hell**« in der Umgangssprache seinen biblischen Schrecken längst verloren. **Go to hell!** ist heutzutage eine vergleichsweise harmlose Aufforderung; wir haben schon wesentlich schlimmere gehört! Und unseren »Lieblingshöllensatz« wollen wir Ihnen natürlich nicht vorenthalten:

The road to hell is paved with good intentions.
Der Weg zur Hölle ist mit guten Vorsätzen gepflastert. Gebräuchlich in ganz Nordamerika.

Dazu gut passend:

Hell is full of sorry people.
Die Hölle ist voller Menschen, denen's Leid tut. Gebräuchlich in Ohio.

Pferde sind in den Vereinigten Staaten viel mehr als »nur« Tiere, auch wenn das folgende Sprichwort scheinbar das Gegenteil behauptet:

Every horse is an animal, but not every animal is a horse.
Jedes Pferd ist ein Tier, aber nicht jedes Tier ist ein Pferd. Gebräuchlich in North Carolina.

Mag diese Ausage auf den ersten Bick auch noch so schlicht erscheinen, so birgt sie doch bereits die Substanz, den Kern der amerikanischen »Pferdeverrücktheit«. Das Pferd rangiert auf einer unsichtbaren Werteskala eben gleich hinter dem Menschen und manchmal sogar ein ganzes Stück davor. Nicht weiter verwunderlich also, dass man allüberall in den Vereinigten Staaten den Pferden auch auf dem Gebiet der Sprache Hunderte von Denkmälern errichtet hat. Wir haben die allerwichtigsten aufgeschnappt:

A man without a horse is a man without legs.

Ein Mann ohne Pferd ist ein Mann ohne Beine. Gebräuchlich in Colorado.

Better ride a poor horse than go afoot.
Besser ein schlechtes Pferd reiten, als zu Fuß zu gehen. Gebräuchlich in New Jersey.

Don't back the wrong horse.
Setz nicht auf das falsche Pferd. Gebräuchlich in ganz Nordamerika.

An old horse always knows its way home.
Ein altes Pferd findet immer seinen Weg nach Hause. Gebräuchlich in Vermont.

In der amerikanischen Umgangssprache wurde das Wort schon zu Beginn des 19. Jahrhunderts verkürzt, sodass heute auch die Schreibweise **hoss** verwendet und akzeptiert wird.

In a hoss trade you gotta know either the hoss or the man.
Bei einem Pferdehandel solltest du entweder den Mann oder das Pferd genau kennen. Gebräuchlich in Vermont.

Auch ein aus dem Deutschen sehr bekannter Pferde-Tipp findet sich im Amerikanischen wieder:

Don't look a gift horse in the mouth.
Einem geschenkten Gaul schaut man nicht ins Maul. Gebräuchlich in ganz Nordamerika.

I

Damit »satteln wir ab« (gut, nicht wahr?) und »galoppieren« (das Metaphern-Fieber hat uns gepackt...) schnurstracks zum Buchstaben »I«. Bei diesem haben wir uns zwei recht gegensätzliche Begriffe herausgepickt, die wir Ihnen mit den prägnantesten **proverbs** näher bringen wollen: **ideas** und **ignorance** – Ideen und Unwissen.

Ideas are weapons.
Ideen sind Waffen. Gebräuchlich in Illinois.

It's with ideas as with pieces of money: those with the least value generally circulate the most.
Mit den Ideen ist es wie mit Geldstücken: Die mit dem geringsten Wert machen in der Regel am häufigsten die Runde. Gebräuchlich in Illinois.

It is better to have no ideas than false ones.
Es ist besser, überhaupt keine Ideen zu haben, als die falschen. Gebräuchlich in Minnesota.

Von den Geistesblitzen nun zur Abwesenheit derselben:

Better be unborn than untaught, for ignorance is the root of misfortune.
Besser nie geboren werden als ungebildet bleiben, denn Unwissenheit ist die Wurzel des Misserfolgs. Gebräuchlich in Ontario.

Ignorance is an ungrateful guest.
Unwissenheit ist ein undankbarer Gast. Gebräuchlich in Wisconsin.

Ignorance is the mother of conceit.
Unwissenheit ist die Mutter der Einbildung. Gebräuchlich in Wisconsin.

Ignorance breeds impudence.
Unwissenheit erzeugt Unverschämtheit. Gebräuchlich in Illinois.

Statt Unwissenheit können Sie natürlich jederzeit auch Dummheit einsetzen. Wenn Sie im Amerikanischen allerdings **ignorance** statt **stupidity** verwenden, verleiht Ihnen dies einen angenehm konservativ-intellektuellen Anstrich.

J

Damit kommen wir zum »J«, bei dem wir zunächst auf einen Begriff stoßen, den wir eigentlich als Namen kennen. Doch »Jack« hat im Amerikanischen weit mehr Bedeutungen.

Schon auf den britischen Inseln war Jack auch der Hausdiener oder der »Bursche« eines Gentleman oder Soldaten. In Amerika hat sich der »Bursche« weiter verselbstständigt. Am ehesten ließe sich Jack heute mit »Kerl« übersetzen, wobei der als »Jack« bezeichnete Mann nicht eben den Ruf einer Intelligenzbestie genießt. Kurz und prägnant gesagt: Jack steht in den USA für »gutmütiger Trottel« oder »Einfaltspinsel«. Vor nicht allzu langer Zeit wurde das Wort allerdings auch noch im ursprünglichen, durchaus positiven Sinn verwendet. Damals stand Jack auch für den »fleißigen Helfer« oder den so genannten »Hansdampf in allen Gassen«, der allerdings, wenn er keine Anleitung erhält, stets erfolglos bleibt. Aus dieser Zeit stammt auch das folgende Sprichwort:

Jack of all trades and master of none.
Ein Hansdampf in allen Geschäften und Meister in keinem. Gebräuchlich in ganz Nordamerika.

Übrigens: Auch die Namen John und Joe haben mittlerweile ein Eigenleben entwickelt. Als Joe gilt im Polizeijargon ein bislang nicht enttarnter Polizeispitzel und als John Doe (im Falle holder Weiblichkeit auch Jane Doe) wird ein/e Unbekannte/r bezeichnet, der/die seiner/ihrer Identifizierung harrt. Das kann entweder eine Leiche mit einem kleinen Zettelchen am großen Zeh, auf dem John Doe steht, oder auch ein Lebender sein, der an Gedächtnisverlust leidet, oder einfach nicht sagen will, wer er ist. Eine Ausweispflicht gibt es in den USA bekanntlich nicht.

K

Ein beinahe schon schizophren anmutendes Verhalten legt
der moderne Amerikaner gegenüber Monarchien an den Tag.
In der »Wiege der Demokratie« ist man einerseits ungemein
stolz darauf, die »Fesseln des britischen Imperialismus« so
entschlossen abgestreift zu haben. Folgerichtig blicken die
Amerikaner mit einer kopfschüttelnden Mischung aus Ver-
achtung, Spott und Skepsis auf die royalistischen Verrenkun-
gen des einstigen Mutterlands.
Andererseits wird aber gerade in den USA ein regelrechter
Kult um Lady Di, Prince Charles, die fröhliche Fergie und die
ehrwürdige Elizabeth betrieben. Staatsbesuche aus dem
Königshaus locken in Washington weit mehr Schaulustige auf
die Straßen, als es sich der deutsche Bundeskanzler je erträu-
men könnte – ganz abgesehen davon, dass die meisten
Amerikaner sowieso nicht wissen, wie der Mann eigentlich
heißt.
Für eine **teatime** mit Skandalnudel Fergie, der ehemaligen
Prinzgemahlin, war ein New-Yorker bereit, Tausende und
Abertausende von Dollar hinzublättern: eine Teestunde wohl-
gemerkt – gepflegte Konversation ohne Anfassen. Fast möch-
te man meinen, so manch einer wünschte sich 'nen echten
König für die USA – ob aus politischem Kalkül oder aus der
Sehnsucht nach noch mehr Paraden, Pomp und Glamour sei
dahingestellt.
Der »König von Amerika« – Ansichten und Meinungen des
Volksmundes:

An ignorant king is a crowned ass.
Ein unwissender König ist ein gekrönter Esel. Gebräuchlich
in Minnesota. Das Wörtchen **ass** hat die mittlerweile häufiger
verwendete Bedeutung – Sie wissen schon welche – erst im
Laufe der letzten Jahrzehnte erhalten.

**I'd rather be a king among dogs than be a dog among
kings.**

Ich wäre lieber ein König unter Hunden als ein Hund unter Königen. Gebräuchlich in Kentucky.

Kings and queens must die, as well as you and I.
Könige und Königinnen müssen sterben, genau wie du und ich. Gebräuchlich in Ontario.

Kings and realms pass away, but time goes on forever.
Könige und ihre Reiche vergehen, aber die Zeit geht trotzdem immer weiter. Gebräuchlich in Ontario.

Von den Königen zu den **knaves**, Schurken, wobei der Satz:

Kings and knaves are always on the bright side of life,
Könige und Schurken sitzen immer auf der Sonnenseite des Lebens,

eigentlich die einzige linguistisch nachweisbare Verbindung dieser beiden Personengruppen ist. (Und selbst die haben wir aus dem Schottischen geklaut.) Ob es einen anderen tieferen Zusammenhang zwischen **knaves** und **kings** gibt, überlassen wir Ihrer Beurteilung.

A knave discovered is the greatest fool.
Ein ertappter Übeltäter ist der größte Trottel. Gebräuchlich in Michigan. Frei nach dem Motto: Man darf sich bloß nicht erwischen lassen.

Knaves and fools divide the world.
Schurken und Narren entzweien die Welt. Gebräuchlich in Indiana.

Knaves are in such repute that honest men are accounted fools.
Schurken genießen ein derartiges Ansehen, dass ehrliche Männer als erklärte Trottel gelten. Gebräuchlich in Ontario.

Knaves imagine nothing can be done without knavery.
Schurken glauben, dass nichts ohne Schurkerei vollbracht
werden kann. Gebräuchlich in Illinois und Ontario.

Übrigens: Die Bezeichnung **knave** ist keinesfalls mehr in
allen Bundesstaaten üblich. An der Westküste gilt der
Ausdruck als höchst antiquiert und lebt nur noch in den
besagten Sprichwörtern weiter. Im Mittelwesten und im Norden ist er allerdings noch durchaus in Gebrauch.

L

Beim Buchstaben »L« stoßen wir auf einige Schlüsselbegriffe
des amerikanischen Bewusstseins: **language, liberty, life** –
Sprache, Freiheit, Leben.

**He who is ignorant of foreign languages knows not his
own.**
Der, der keine Ahnung von Fremdsprachen hat, kennt seine
eigene Sprache nicht. Gebräuchlich in Illinois.

The man who knows two languages is worth two men.
Der Mann, der zwei Sprachen beherrscht, ist so viel wert wie
zwei Männer. Gebräuchlich in New York.

Vielsprachig ist auch die Masse derjenigen, die im Laufe der
vergangenen Jahrhunderte im New-Yorker Hafen einer großen
alten Dame ihre Aufwartung gemacht hat. Wir sprechen natürlich von der **statue of liberty**, der Freiheitsstatue, die mehr
als alles andere den amerikanischen Traum verkörpert. Bron-
zenes Sinnbild für die Offenheit des riesigen Landes, Symbol
für die Freiheit und den richtigen Umgang mit derselben.

Liberty's torch
Die Fackel der Freiheitsstatue

hat Generationen entflammt und erleuchtet. Und auch wenn
ihr Feuer heute nur noch für Auserwählte brennt, hat es

nichts von seiner Faszination verloren. In den folgenden Zitaten mag dies deutlich werden:

Give me liberty or give me death.
Gib mir die Freiheit oder den Tod. Gebräuchlich in ganz Nordamerika.

Lean liberty is better than fat slavery.
Magere (dünne, schlanke, bescheidene) Freiheit ist besser als fette (vollgefressene) Sklaverei. Gebräuchlich in Michigan und Ontario.

There is no liberty without security, and no security without unity.
Es gibt keine Freiheit ohne Sicherheit und keine Sicherheit ohne Einigkeit. Gebräuchlich in New York und South Carolina.

Your liberty ends where my nose grows.
Deine Freiheit endet an meiner Nasenspitze. Gebräuchlich in New Mexico.

Liberty, like charity, must begin at home.
Freiheit muss ebenso wie die Nächstenliebe zu Hause beginnen. Gebräuchlich in Illinois.

Soviel zum Thema Freiheit. Wenden wir uns nun einer noch umfassenderen Thematik zu, dem menschlichen Leben:

A long life may not be good enough, but a good life is long enough.
Ein langes Leben könnte nicht gut genug sein, aber ein gutes Leben ist lang genug. Gebräuchlich in New York.

Don't spend your life reaching for the moon.
Verbringe dein Leben nicht damit, nach dem Mond zu greifen. Gebräuchlich in New York. Im Deutschen: nach den Sternen zu greifen.

For a long life be moderate in all things, but don't miss anything.
Für ein langes Leben solltest du in allen Dingen zurückhaltend sein, aber lass nichts aus. Gebräuchlich in New York.

For most people life is one bill after another.
Für die meisten Menschen ist das Leben eine Rechnung nach der anderen. Gebräuchlich in South Carolina.

Auf einen sehr hübschen kleinen Vers sind wir in Ontario gestoßen:

If life were a thing that money could buy, the rich would live and the poor would die.
Wenn Leben etwas wäre, was man mit Geld kaufen könnte, würden die Reichen leben und die Armen sterben.

Das führt uns prompt zum amerikanischen Gesundheitssystem und damit zur enttäuschenden Feststellung, dass zumindest Länge und Qualität des menschlichen Lebens durchaus vom Umfang des Geldbeutels abhängen können. Aber damit erzählen wir Ihnen wahrscheinlich nichts bahnbrechend Neues. Vielleicht stammen daher die folgenden Erkenntnisse:

Life and misery begin together.
Leben und Elend beginnen gleichzeitig (wörtlich: gemeinsam, zusammen). Gebräuchlich in Ontario.

Life is a bubble on a stream.
Leben ist ein Bläschen auf dem Strom. Gebräuchlich in Oregon.

Life is a comedy to those who think, a tragedy to those who feel.
Das Leben ist eine Komödie für diejenigen, die denken und eine Tragödie für die, die fühlen. Gebräuchlich in Illinois.

Doch es gibt auch optimistischere Ansätze und da wir selbst uns zur Zeit auf die so genannten »besten Jahre« zu bewegen, fühlten wir uns beim folgenden Sinnspruch angenehm getröstet:

Life begins at forty.
Das Leben fängt mit 40 an. Gebräuchlich in ganz Nordamerika.

Life is what you make it.
Leben ist das, was du daraus machst. Gebräuchlich in ganz Nordamerika.

Gegen Ende unserer kleinen Betrachtungsreihe über Leben und Überleben noch zwei erstaunliche und amüsante Denkanstöße:

Too many people conduct their life on the cafeteria style – self-service.
Zu viele Menschen führen ein Leben im Cafeteria-Stil – Selbstbedienung. Gebräuchlich in West Virginia.

Live your life so that even the undertaker will be sorry when you die.
Lebe dein Leben so, dass es selbst dem Leichenbestatter Leid tut, wenn du stirbst. Gebräuchlich in New Jersey.

M

Auf das Faible der Amerikaner für echte Helden und wahre Männer sind wir schon ausführlich eingegangen. Folgerichtig widmen wir uns nun dem Thema »Männlichkeit« und einigen seiner Facetten. Noch einmal möchten wir den hoch geschätzten Ruhrpott-Barden Herbert Grönemeyer zitieren, der einst die Frage stellte: »Wann ist ein Mann ein Mann?«
Wir kennen darauf keine schlüssige oder gar unzweideutige Antwort. Doch geben wir Ihnen hier die Möglichkeit, unter einigen amerikatypischen Antwortmöglichkeiten zu wählen:

A man is as strong as his will.
Ein Mann ist so stark wie sein Wille. Gebräuchlich in Florida.

A man is only as good as his weakest moment.
Ein Mann ist nur so gut wie sein schwächster Augenblick. Gebräuchlich in Colorado.

Auch lakonischere Definitionen sind massenhaft im Umlauf:

A brave man is a fool.
Ein tapferer Mann ist ein Trottel. Gebräuchlich in Colorado.

A man can do a lot of things if he has to.
Ein Mann kann eine Menge Dinge erreichen, wenn er muss. Gebräuchlich in North Carolina.

A man is as young as he feels.
Ein Mann ist so jung, wie er sich fühlt. Gebräuchlich in New Jersey und Ohio.

A man is king in his home.
Ein Mann ist der König seines Heims. Gebräuchlich in Kalifornien, North Carolina und Illinois.

Every man must stand on his own two feet.
Jeder Mann muss auf seinen eigenen Beinen stehen. Gebräuchlich in Michigan und New York.

An old man is twice a boy.
Ein alter Mann ist ein doppelter Junge. Gebräuchlich in ganz Nordamerika.

A man is a bubble.
Ein Mann ist eine Luftblase. Gebräuchlich in Kalifornien – wir vermuten in feministischen Zirkeln...

Soweit eine erste Auswahl von Definitionen des männlichen Seins. Interessant ist auch ein Blick auf das viel zitierte Spannungsverhältnis zwischen den Geschlechtern:

Man gets and forgets; woman gives and forgives.
Der Mann kriegt etwas und vergisst's; eine Frau gibt etwas und vergibt's. Gebräuchlich in New York und South Carolina.

Men are born the slaves of women.
Männer werden als Sklaven für die Frauen geboren. Gebräuchlich in New York.

Man works from sun to sun, but a woman's work is never done.
Ein Mann arbeitet von Sonnenauf- bis Sonnenuntergang; die Arbeit einer Frau endet niemals. Gebräuchlich in ganz Nordamerika.

Beim Blättern und Sichten des vorhandenen Materials zum Buchstaben »M« stießen wir natürlich auch auf **money**. Im ersten Kapitel dieses Buches haben wir uns bereits ausführlich mit dem amerikanischen Streben nach dem Geld beschäftigt, doch die griffigsten **proverbs** zu diesem Thema möchten wir Ihnen hier noch präsentieren:

All money is clean, even if it's dirty.
Geld ist immer rein, selbst wenn es schmutzig ist. Gebräuchlich in Illinois.

Earn money before you spend it.
Verdiene Geld, bevor du es ausgibst. Gebräuchlich in New York, Ontario und Wisconsin.

Make money your servant, not your master.
Mache dir Geld zum Diener und nicht zum Herren. Gebräuchlich in North Carolina.

Money is a universal language speaking every tongue.
Geld ist eine Universalsprache, die mit jeder Zunge reden
kann. Gebräuchlich in Wisconsin.

Den rhetorisch-moralischen Zeigefinger können wir uns
natürlich auch bei diesem Thema nicht verkneifen:

Money burns a hole in the pocket.
Geld brennt ein Loch in die Tasche. Gebräuchlich in ganz
Nordamerika.

Money can't buy happiness.
Geld kann Glück nicht kaufen. Ebenfalls in ganz Nordamerika gebräuchlich.

N

»Auf gute Nachbarschaft« – ein Gruß, der in Deutschland vie-
lerorts offensichtlich nicht mehr zählt. Nichts beschäftigt die
Amtsgerichte der Republik häufiger als sinnlos anmutende
Streitereien unter Nachbarn, **neighbors**, die sich binnen
weniger Momente von flüchtigen Bekannten zu Todfeinden
mausern können.
In den USA scheint dieses Verhalten nicht ganz so verbreitet
zu sein – unbekannt ist es allerdings beileibe nicht:

**It is discouraging to be a good neighbor in a bad neigh-
borhood.**
Es ist entmutigend, ein guter Nachbar in schlechter Nachbarschaft zu sein. Gebräuchlich in New York.

**A neighbor is a person who knows more about your
business than you do.**
Ein Nachbar ist ein Mensch, der mehr über deine
Angelegenheiten weiß als du selbst. Gebräuchlich in North
Carolina.

For neighbors to keep a friendly tone is equal to finding a precious stone.
Einen freundlichen Umgangston beizubehalten ist für Nachbarn wie die Entdeckung eines Edelsteins. Gebräuchlich in North Carolina.

O

Auf eines der Schlüsselworte amerikanischer Geschäftstüchtigkeit treffen wir beim Buchstaben »O«. **Opportunity** bedeutet Gelegenheit und eine solche sollte man sich bekanntlich niemals entgehen lassen, wenn man nicht als Verlierer abgestempelt werden will. Denn:

A lost opportunity never returns.
Eine verlorene Gelegenheit kehrt niemals wieder. Gebräuchlich in ganz Nordamerika.

Sie dürfen sich jetzt einen älteren Herren vorstellen, einen grauhaarigen, mit dunkelblauem Jackett und weißem Hemd gekleidet, dessen Hals eine Fliege ziert. Er steht mit weit offenen Armen in einem Büro, die Aussicht aus den Fenstern hier im 34. Stockwerk ist beeindruckend. Schräg hinter ihm steht ein ebenfalls gut gekleideter, adretter junger Mann: Vater und Sohn – erstmals gemeinsam im väterlichen Chefbüro. Hören wir doch mal rein, was der Grandseigneur des Unternehmens seinem Filius so alles sagen könnte:

Don't wait for opportunities – make them.
Warte nicht auf Gelegenheiten – schaff sie dir. Gebräuchlich in Maryland.

If opportunity knocks – let her in.
Wenn eine Gelegenheit anklopft, lass sie rein. Gebräuchlich in New York.

Opportunities do not wait.

Gelegenheiten warten nicht. Gebräuchlich in ganz Nordamerika.

Opportunity sooner or later comes to all who work and wish.
Die Gelegenheit kommt füher oder später zu all jenen, die arbeiten und hoffen. Gebräuchlich in New York.

Take opportunity by the forelock.
Schnapp dir die Gelegenheit bei der Stirnlocke. Gebräuchlich in Ontario.

Vielleicht finden Sie, dass alle diese Redensarten doch ein recht schlichtes und übertrieben zielorientiertes Bewusstsein offenbaren. Aber was bitte schön haben Sie eigentlich erwartet? Das Geschäftsleben ist eben simpel. Man gewinnt oder man verliert. Man nutzt Möglichkeiten oder man verpasst sie. Intellektuelle Betrachtungen über Sinn oder Unsinn wären höchstens hinderlich, also begnügt man sich mit Allgemeinplätzen. Klingt einleuchtend, oder?

P

Beim Buchstaben »P« haben wir uns für eine »Emotionenauswahl« entschieden: **Pain, passion, patience and pleasure** – Schmerz, Leidenschaft, Geduld und Vergnügen.
Beginnen wir mit dem Unerfreulichsten, dem Schmerz. Nicht weil wir Anhänger einer masochistisch orientierten Lehre sind – das Alphabet schreibt uns die Reihenfolge vor.

An hour of pain is as long as a day of pleasure.
Eine Stunde voller Schmerz ist so lang wie ein ganzer Tag voller Vergnügen. Gebräuchlich in Illinois.

Great pain and little gain make a man soon weary.
Großer Schmerz und kleiner Gewinn machen einen Mann schnell müde. Gebräuchlich in Michigan.

Nothing brings more pain than too much pleasure.
Nichts verursacht mehr Schmerzen als zu viel Vergnügen.
Gebräuchlich in New York und South Carolina.

One pain kills another.
Der eine Schmerz tötet den anderen. Gebräuchlich in
Ontario. Wir fragen uns gerade, ob das wohl tröstlich gemeint
sein könnte.

Pain past is pleasure.
Vergangener Schmerz ist Vergnügen. Gebräuchlich in North
Carolina. Das ist sicher tröstlich.

Damit wenden wir uns nun einem etwas angenehmeren
Themenbereich zu, wenngleich Leidenschaft, **passion**, und
Schmerz häufig nicht allzu weit voneinander entfernt liegen.
Doch wir haben uns dazu durchgerungen, die positiven Seiten
zu betonen, und die heißen nun einmal »Romantik«, »Liebe«,
»dramatische Ereignisse« usw.

A man in passion rides a mad horse.
Ein Mann, der der Leidenschaft verfallen ist, reitet ein ver-
rücktes Pferd. Gebräuchlich in New York.

Control your passion or it will control you.
Kontrolliere deine Leidenschaft oder sie wird dich kontrollie-
ren. Gebräuchlich in Colorado, New Jersey und New York.

**He that shows a passion tells his enemy where he may
hit him.**
Derjenige, der eine Leidenschaft zu erkennen gibt, zeigt seinem Feind, wo er ihn verwunden könnte. Gebräuchlich in
Michigan und Wisconsin.

The worst passions have their root in the best.
Die schlimmsten Leidenschaften haben ihre Wurzeln in den
besten. Gebräuchlich in New York und South Carolina.

Passion is ever the enemy of truth.
Leidenschaft ist stets der Feind der Wahrheit. Gebräuchlich in Michigan.

Fast das Gegenteil der Leidenschaft ist die Geduld, **patience**, eine Tugend, die in den Vereinigten Staaten offensichtlich überall großes Ansehen genießt. Bestimmt sind die Amerikaner nicht geduldiger als andere Landsleute. Doch zumindest theoretisch weiß der Volksmund um die Vorzüge von »Geduld und Spucke«.

A moment's patience is a ten-years' comfort.
Ein Moment der Geduld bedeutet zehn Jahre Beruhigung. Gebräuchlich in Illinois.

A poor man without patience is like a lamp without oil.
Ein armer Mann ohne Geduld ist wie eine Lampe ohne Öl. Gebräuchlich in Illinois. Der Satz wurde offensichtlich vor der Nutzung der Elektrizität geprägt.

Patience devours the devil.
Geduld verschlingt den Teufel. Gebräuchlich in Illinois.

Dass Geduld allerdings nicht immer möglich ist, wissen zumindest die New-Yorker:

He that preaches patience never knew the pain.
Derjenige, der Geduld predigt, hat niemals den Schmerz gekannt. Gebräuchlich in New York.

Beschließen wollen wir unseren kleinen Ausflug ins Reich der Emotionen mit dem erfreulichsten Part: **pleasure**. Doch gerade auch beim Vergnügen entdecken wir rasch die höchst puritanische Vergangenheit der USA und stellen fest: Es ist erstaunlicherweise kein reines Vergnügen, einfach vergnügt zu sein.

A man of pleasure is a man of pains.
Ein Mann des Vergnügens ist ein Mann der Schmerzen. Gebräuchlich in Illinois. Den Literaten unter Ihnen steht jetzt möglicherweise das Bildnis des Dorian Gray vor dem geistigen Auge.

Don't find pleasure without conscience.
Finde kein Vergnügen ohne Gewissen. Gebräuchlich in Indiana.

Many a man thinks he is buying pleasure when he is really selling himself a slave to it.
So mancher Mann glaubt sich Vergnügen zu kaufen, wenn er sich in Wirklichkeit als dessen Sklaven verkauft. Gebräuchlich in New York.

Short pleasure often brings long repentance.
Ein kurzes Vergnügen verursacht oft lange Reue. Gebräuchlich in Illinois.

The pleasures of youth make the pains of old age.
Die Vergnügungen der Jugend werden die Schmerzen des Alters. Gebräuchlich in Kalifornien und Colorado.

Sie merken schon: Ungestraft vergnügt sich hier niemand. Doch wir entlassen Sie nicht ohne eine heitere Note:

Who pleasure gives shall joy receive.
Wer Vergnügen schenkt, wird Freude erhalten. Gebräuchlich in New York.

Q

Beim Buchstaben »Q« haben wir naturgemäß nicht allzu viel Zitierenswertes gefunden. – Versuchen Sie mal, innerhalb von zehn Sekunden mindestens fünf deutsche Worte mit dem Anfangsbuchstaben Q zu finden. Die Zeit läuft...

Hängen geblieben sind wir dann allerdings bei den **questions**:

Ask me no questions and I'll tell you no lies.
Stell mir keine Fragen und ich erzähl dir keine Lügen.
Gebräuchlich in ganz Nordamerika.

Ask questions and learn.
Frage und du lernst. Gebräuchlich in Alabama, Georgia und
North Carolina.

Man kann sich so richtig vorstellen, wie der alte Farmer,
einen Zigarrenstummel zwischen den tabakfleckigen Zähnen,
seinem halbwüchsigen Sohn diese Aufforderung zuknurrt...

**'Tis better to ask some questions than to know all the
answers.**
Es ist besser, einige Fragen zu stellen, als alle Antworten zu
kennen. Gebräuchlich in Indiana.

**One more question and I'll show you my grandpa's
rest.**
Noch eine Frage und ich zeig dir das Grab meines Großvaters.
Gebräuchlich in Kalifornien und Texas. Gemeint ist: Noch
eine blöde Frage und ich leg dich um. Gruß an John Wayne.

**Questions are never indiscreet, answers sometimes
are.**
Fragen sind niemals indiskret; Antworten sind es manchmal.
Gebräuchlich in New York.

R

Die Religion ist in den Vereinigten Staaten ein Eckpfeiler des
Bewusstseins. Das ist nicht verwunderlich, denn das Gros der
ersten europäischen Einwanderer bestand aus strenggläubi-
gen Protestanten unterschiedlicher Prägung, die in ihrer

alten Heimat wenig oder gar kein Verständnis für ihren Glauben fanden.

Die »zweite und dritte Welle« der Einwanderer bestand dann zu einem großen Teil aus Iren und Italienern, für die der Katholizismus in der Regel weit mehr ist als ein bloßes Lippenbekenntnis. Und auch bei der schwarzen Bevölkerung spielt die Religiosität eine große Rolle, war der ursprünglich aufgezwungene Glaube doch vor allem in den Zeiten der Sklaverei für viele Trost und Hoffnung zugleich.

Viele Sprichwörter zum Thema Religion stammen deshalb aus den Pioniertagen des jungen, ländlichen Amerikas.

A man without religion is a horse without a bridle.
Ein Mann ohne Religion gleicht einem Pferd ohne Zügel. Gebräuchlich in Illinois.

A woman without religion is a flower without perfume.
Eine Frau ohne Religion ist wie eine Blume ohne Duft. Gebräuchlich in Illinois und Kansas.

Religion is the best armor in the world but the worst cloak.
Religion ist die beste Rüstung der Welt, aber der schlechteste Mantel. Gebräuchlich in New York.

Many have quarreled about religion that never practiced it.
Viele, die sie niemals praktiziert haben, haben sich schon über die Religion gestritten. Gebräuchlich in New York.

Bei der Überleitung von **religion** zu **rich** haben wir uns für ein biblisches Zitat entschieden, das sowohl im Deutschen als auch im Amerikanischen jedermann bekannt ist:

It is easier for a camel to go through the eye of a needle than it is for a rich man to enter the kingdom of heaven.

Es ist ein leichter, dass ein Kamel durch ein Nadelöhr gehe, denn dass ein Reicher ins Reich Gottes komme.

An diesem Satz (Matthäus 19,24) offenbart sich aufs Neue die völkerübergreifende Schizophrenie des Abendlandes – beileibe nicht nur diejenige Amerikas. Einerseits ist der Besitzlose ein höchst qualifizierter Kandidat für die Seligkeit – andererseits ist Armut zu seinen Lebzeiten keinesfalls erstrebenswert.

Übertrieben viele Gedanken machen sich die Amerikaner allerdings nicht über diesen offensichtlichen Widerspruch. Die Auseinandersetzung mit dem Wort »rich« (reich) ist trotzdem überraschend differenziert.

A rich person ought to have a strong stomach.
Ein reicher Mensch sollte einen starken Magen haben. Gebräuchlich in New York.

He is rich who owes nothing.
Derjenige, der nichts schuldet, ist reich. Gebräuchlich in Indiana. Das kommt der biblischen Auffassung schon ziemlich nahe.

He is not rich who is not satisfied.
Derjenige, der nicht zufrieden ist, ist auch nicht reich. Gebräuchlich in Illinois und North Dakota.

It's better to live rich, than to die rich.
Es ist besser, reich zu leben, als reich zu sterben. Gebräuchlich in Illinois und Michigan.

Die Zeiten ändern sich, Prioritäten wechseln und damit auch Symbole. Vor 100 Jahren noch galten die Wälder von Tennessee, die Wüsten Nevadas, die Sümpfe Floridas und die ausgedehnten Prärien des Westens als Inbegriff amerikanischer Weite. Heute steht das schier endlose Straßennetz als Symbol für die immer während Suche des Menschen nach

Freiheit und Erfüllung. **Roads** sind weit mehr als asphaltierte Verbindungswege. Sie stehen gleichzeitig für den immer lockenden Aufbruch in andere Welten, Zeiten und Erlebnisse. Fluchtwege, Pfade der Weisheit, Etappen der Bewährung – suchen Sie sich ihr Lieblingsbild heraus.

Der Kilometerfresser, **milebiter**, ist ein moderner Cowboy und die Wildwest-Romantik hat ihr Überleben mittlerweile fast ausschließlich den **truckers** (Fernfahrern) zu verdanken. Häufig zitiert werden auch die »Straße zur Hölle« oder die »Straße ins Nichts« – **the road to hell** und **the road to nowhere**. Und wir haben noch weitere **proverbs** über die Straßen aufgespürt.

Follow the straight road.
Folge der geraden Straße. Gebräuchlich in New York. Meint zumeist: »Komm nicht vom Weg ab« oder »Mach keine krummen Touren«.

A man never got lost on a straight road.
Noch nie ist ein Mensch auf einer geraden Straße verloren gegangen. Gebräuchlich in Montana und Oregon.

Be sure to know the road before you act as guide.
Sei sicher, dass du die Straße kennst, bevor du dich als Führer aufspielst. Gebräuchlich in Ontario.

Every road has a hill to be climbed.
Jede Straße hat einen Hügel, der erklommen werden muss. Gebräuchlich in Ontario.

The road of life is lined with many milestones.
Der Weg des Lebens wird von vielen Meilensteinen markiert. Gebräuchlich in North Carolina.

Wie Ihnen gewiss beim bisherigen Lesen des vor Ihnen liegenden Werkes aufgefallen ist, sind wir überzeugte Verfechter von Sprachkultur. Doch wir beschäftigen uns natürlich nicht ausschließlich mit dem geschriebenen Wort, sondern halten uns auch begnadet im Umgang mit der mündlichen Rede. Zwar sind die meisten unserer Freunde und Verwandten nicht immer unserer Auffassung, doch ficht uns dies im Regelfall nicht an.

Folgerichtig schreiben wir jetzt über das »Sagen«, **say**«. »Sag's mit Blumen« ist hierzulande eine beliebte – vor allem von Floristen gebrauchte – Formel. Wir jedoch sagen's mit **proverbs** ...

All that you say about others, say not to them.
Alles, was du über andere sagst, solltest du nicht zu ihnen sagen. Gebräuchlich in Ontario. Das gilt vor allem dann, wenn diese »anderen« Körpermaße und Muskelmassen besitzen, denen die geistige Flexibilität nichts Gleichwertiges entgegenzusetzen hat.

If you don't say anything, you won't be called upon to repeat it.
Wenn du nichts sagst, wird man dich nicht auffordern, es zu wiederholen. Gebräuchlich in Colorado und New York.

It's not what you say, it's how you say it.
Es ist nicht das, was du sagst, sondern wie du es sagst. Gebräuchlich in ganz Nordamerika. Entspricht unserem: »Der Ton macht die Musik.«

It's not what you say; it's what you didn't say.
Es ist nicht das, was du gesagt hast; wichtig ist das, was du nicht gesagt hast. Gebräuchlich in North Carolina.

Nothing is said now that has not been said before.

The more you say, the less you shine.
Je mehr du sagst, desto weniger glänzt du. Gebräuchlich in New York; dies betrifft natürlich nur schlechte Rhetoriker. Nicht Sie. Und uns natürlich auch nicht.

Nichts wird heute gesagt, was nicht zuvor schon gesagt wurde. Gebräuchlich in North Carolina.

Said first and thought after makes many a disaster.
Zuerst gesagt und dann gedacht, verursacht häufig Unheil. Gebräuchlich in Kentucky und Tennessee.

Say what you mean and mean what you say.
Sag, was du meinst und meine, was du sagst. Gebräuchlich in ganz Nordamerika.

Watch what you say, when and to whom.
Pass auf, was du sagst, wann und zu wem. Gebräuchlich in Ohio.

What is said is said, and no sponge can wipe it out.
Was gesagt ist, ist gesagt, und kein Schwamm kann's wegwischen. Gebräuchlich in Alabama und Georgia.

Silence is golden sang dereinst die britische Pop-Band »Tremeloes«, landete damit in England und den USA einen Nummer-Eins-Hit und zitierte gleichzeitig ein Sprichwort, das sich in ganz Nordamerika großer Beliebtheit erfreut. Wir hätten da noch ein paar andere zum Thema:

Silence is a still noise.
Stille ist ein ruhiger Lärm. Gebräuchlich in New York und South Carolina.

Silence is a fine jewel for a woman, but it is little worn.
Schweigen ist ein schöner Schmuck für eine Frau, aber er wird selten getragen. Gebräuchlich in Illinois. Dort ist man offensichtlich zuweilen immer noch der Auffassung, Frauen sollten lieber den Mund halten.

Silence is not always a sign of wisdom, but babbling is ever a folly.

Schweigen ist nicht immer ein Zeichen von Weisheit, aber Plappern ist immer eine Narrheit. Gebräuchlich in New York und South Carolina. Das Wort »**folly**« existiert praktisch nur noch in derartigen Sprichwörtern.

Noch einen weiteren Begriff haben wir uns unter dem Buchstaben »S« herausgepickt, einen Begriff, den wir an anderen Stellen schon mehrfach erwähnt haben: **success** – Erfolg.

The key to success is the ability to apply the seat of the pants to the seat of a chair.
Der Schlüssel zum Erfolg ist die Fähigkeit unter allen Umständen auf dem Stuhl sitzen zu bleiben. (Wörtlich: ...den Sitz der Hosen der Beschaffenheit des Stuhls anzupassen.) **By the seat of one's pants** bedeutet so viel wie »mit aller Gewalt« und wir vermuten, dass es sich bei diesem Spruch um eine andere Form der Redewendung: »gutes Sitzfleisch beweisen« handelt. Gebräuchlich in Colorado und New York.

Deserve success and it will come.
Verdiene den Erfolg und er wird sich einstellen. Gebräuchlich in Ontario.

Confidence in success is almost success.
Vertrauen in den Erfolg bedeutet fast schon Erfolg zu haben. Gebräuchlich in Ontario.

The first element of success is the will to succeed.
Der erste Baustein für den Erfolg ist der Wille erfolgreich zu sein. Gebräuchlich in Wisconsin.

Success comes to those who are too busy to look for it.
Der Erfolg kommt zu denen, die zu beschäftigt sind, nach ihm zu suchen. Gebräuchlich in Utah.

No story of success ever starts with if and but.

Keine Erfolgsgeschichte startet mit den Worten »wenn« und »aber«. Gebräuchlich in Ontario.

Soviel zu den wichtigsten Rezepten für Ihre zukünftigen Triumphe; der Rechtsweg ist ausgeschlossen. Als Abschluss dieses Mini-Ratgebers noch ein wenig Ernüchterung:

Count no man successful until he's dead.
Betrachte keinen Mann als erfolgreich, bevor er nicht tot ist. Gebräuchlich in New York.

T

Die Fähigkeit zu weinen ist eine der erstaunlichsten Eigenschaften des Menschen. **Tears**, Tränen, unterscheiden ihn vom Tier mindestens ebenso sehr wie der aufrechte Gang, denn eine derartige Ausdrucksmöglichkeit für das emotionale Befinden hat weder der Schimpanse noch der Elefant.

A woman's tears are her strongest weapons.
Die Tränen einer Frau sind ihre stärksten Waffen. Gebräuchlich in ganz Nordamerika.

It is the unshed tears that make the scars.
Es sind die unvergossenen Tränen, die Narben hinterlassen. Gebräuchlich in Maryland.

More tears are shed in playhouses than in churches.
In Spielhöllen werden mehr Tränen vergossen als in Kirchen. Gebräuchlich in Illinois.

Nothing dries sooner than tears.
Nichts trocknet schneller als Tränen. Gebräuchlich in Oklahoma und Texas.

Seine lyrische Ader beweist der Volksmund mit den beiden folgenden Definitionen:

Tears are often the telescope through which men can see far into heaven.
Tränen sind oft das Fernrohr, mit dem die Menschen weit in den Himmel hinein sehen können. Gebräuchlich in Alabama, Georgia und South Carolina.

Tears are the silent language of grief.
Tränen sind die stille Sprache des Kummers. Gebräuchlich in Illinois.

Von den Tränen zu den Dieben: **thieves** lautet unser nächstes Stichwort.

A thief is worse than a liar.
Ein Dieb ist schlimmer als ein Lügner. Gebräuchlich in ganz Nordamerika.

The thief is sorry to be hanged, not to be a thief.
Dem Dieb tut es Leid gehängt zu werden, nicht, dass er ein Dieb ist. Gebräuchlich in Minnesota.

Save a thief from the gallows and he'll be the first to cut your throat.
Rette einen Dieb vor dem Galgen und er wird der Erste sein, der dir die Kehle durchschneidet. Gebräuchlich in Kalifornien und Texas.

Sie merken schon, beliebt sind Diebe nicht. Doch mittlerweile hat sich zuweilen doch ein etwas moderaterer und differenzierterer Umgang mit ihnen durchgesetzt:

We hang little thieves and take off our hats to great ones.
Wir hängen die kleinen Diebe und lüpfen unsere Hüte vor den großen. Gebräuchlich in Kalifornien.

An old thief makes a good sheriff.

Ein alter Dieb macht einen guten Sheriff. Gebräuchlich in Kalifornien.

It takes a thief to catch a thief.
Man braucht einen Dieb um einen Dieb zu fassen. Gebräuchlich in ganz Nordamerika.

Und damit wenden wir uns ab von den großen und kleinen Spitzbuben und hin zu einem Wort, das für Sprichwörter, Metaphern und Lyrik wie geschaffen ist: »Zeit« – »**time**«. Ist sie endlos, wird sie verbraucht, verfliegt sie, vergeht sie, verweilt sie, welche Spanne umfasst sie, ist sie messbar oder nur eine Illusion? Solche und ähnliche Fragen haben sich Denker aller Generationen und Länder seit jeher gestellt und deswegen nimmt es kaum wunder, dass sich auch »gewöhnliche Sterbliche« mit dem Thema auseinander gesetzt haben. Auch der Amerikaner bildet hierbei keine Ausnahme.

A moment of time is a moment of mercy.
Ein Augenblick Zeit ist ein Augenblick der Gnade. Gebräuchlich in Michigan.

A short time is long for the unprepared.
Eine kurze Zeitspanne ist lang für den Unvorbereiteten. Gebräuchlich in Minnesota. Dieser Satz mag den einen oder anderen an Klassenarbeiten seiner Schulzeit erinnern, ist aber wahrscheinlich wesentlich tiefgründiger gemeint.

Killing time is not murder; it's suicide.
Zeit totschlagen ist kein Mord; es ist Selbstmord. Gebräuchlich in Ontario.

Little by little time goes by, short if you sing, long if you sigh.
Nach und nach geht die Zeit vorbei; schnell, wenn du singst, langsam, wenn du seufzt. Gebräuchlich in New Jersey.

Natürlich hat Volkes Stimme auch etliche Allerweltsweisheiten zum richtigen Umgang mit der Zeit parat:

Don't waste five-dollar-time on a five-cent-job.
Verschwende Fünf-Dollar-Zeit nicht für einen Fünf-Cent-Job. Gebräuchlich in Mississippi.

Don't wait till you get time – take time.
Warte nicht bis du Zeit bekommst – nimm dir Zeit. Gebräuchlich in Minnesota.

Begin in time to finish without hurry.
Fange rechtzeitig an, sodass du ohne Hetze zum Ende kommst. Gebräuchlich in Ontario.

Time is capital, invest it wisely.
Zeit bedeutet Kapital – investiere sie weise. Gebräuchlich in Kalifornien.

Time wasted is time lost.
Verschwendete Zeit ist verlorene Zeit. Gebräuchlich in Alabama, Georgia und Iowa.

Der folgende Sinnspruch hat etwas derart Endgültiges, dass wir damit unsere kleine Abhandlung zum Thema »Zeit« angemessen dramatisch abschließen können:

Always is a long time.
Immer ist eine lange Zeit. Gebräuchlich in Illinois.

Wenden wir uns nun wieder etwas prosaischeren Themen zu – dem einfachen »Ärger«, den »Schwierigkeiten«, den »Sorgen«: **trouble** oder **troubles**.

Most trouble starts from misunderstanding.
Der meiste Ärger ergibt sich aus Missverständnissen. Gebräuchlich in North Carolina.

You can't keep trouble from coming in, but you needn't give it a chair to sit in.
Du kannst den Ärger nicht draußen halten, aber du musst ihm nicht auch noch einen Sitzplatz anbieten. Gebräuchlich in Washington.

Dass auch schlichteste Rezepte immer ein Plätzchen im Wortschatz der Amerikaner finden, beweist das folgende Beispiel:

The best way to get out of trouble is not to get in it.
Der beste Weg aus Schwierigkeiten herauszukommen, ist erst gar nicht in sie hineinzugeraten. Gebräuchlich in Mississippi.

Und frei nach unserem Lieblingsmotto »Lebenshilfe leicht gemacht« setzen wir noch einen drauf:

Laugh your troubles away.
Lache deine Sorgen weg. Gebräuchlich in Ontario.

U

Beim Buchstaben »U« begnügen wir uns mangels Masse an Zitierenswertem mit dem originellsten Sinnspruch, den wir finden konnten. Es geht dabei um den Regenschirm: **umbrella**.

Two under an umbrella makes the third a wet fellow.
Zwei unter einem Schirm machen den Dritten zu einem nassen Burschen. Gebräuchlich in Florida, Land des Sonnenscheins.

V

Für zwei Wörter mit entgegengesetzter Bedeutung haben wir uns beim Buchstaben »V« entschieden: **vice and virtue** – Laster und Tugend.

Vice knows she's ugly, so puts on her mask.
Das Laster weiß, dass es hässlich ist und setzt sich deshalb
eine Maske auf. Gebräuchlich in New York.

Every vice fights against nature.
Jedes Laster kämpft gegen die Natur. Gebräuchlich in Michigan. Bleibt natürlich die Frage, ob Laster im Bauplan der
menschlichen Natur nicht doch etwa vorgesehen sind?

Vices are learned without a teacher.
Laster werden ohne Lehrer gelernt. Gebräuchlich in Illinois.

Damit nun zum Gegenteil des Lasters: der Tugend. Dafür liefert uns der folgende Spruch den idealen Übergang:

I'd rather a comfortable vice than a virtue that bores.
Ich hätte lieber ein bequemes Laster als eine langweilige
Tugend. Gebräuchlich in Kentucky und Tennessee.

Doch abgesehen von dieser moralisch nicht einwandfreien
Aussage verfügt die Tugend – welche auch immer – natürlich
über eine deutliche Mehrzahl an Fürsprechern:

A fair woman without virtue is like stale wine.
Eine schöne Frau ohne Tugend ist wie abgestandener Wein.
Gebräuchlich in Illinois.

Search others for their virtues, yourself for your vices.
Überprüfe andere auf ihre Tugenden und dich selbst auf
deine Fehler. Gebräuchlich in Michigan.

Make a virtue of necessity.
Mach aus der Notwendigkeit eine Tugend. Gebräuchlich in
ganz Nordamerika.

W

Wohlstand und Reichtum heißt **wealth** und wie wir schon mehrfach ausgeführt haben, ist die Erlangung desselben im Land der unbegrenzten Möglichkeiten eine Art Glaubensbekenntnis. Auf dem Weg zu Finanzkraft und Ansehen ist demzufolge fast alles erlaubt – der Zweck heiligt die Mittel! Genauso folgerichtig ist es damit aber auch, dass diese Einstellung trotz – oder gerade wegen – ihres häufigen Vorkommens nicht unumstritten ist...

A man of wealth is a slave to his possessions.
Ein wohlhabender Mann ist ein Sklave seines Besitzes. Gebräuchlich in Illinois.

Sudden wealth is dangerous.
Plötzlicher Reichtum ist gefährlich. Gebräuchlich in Ontario.

Wealth does not always improve us.
Wohlstand macht uns keineswegs immer besser. Gebräuchlich in Ontario.

Wohlstand ist also nicht das Wichtigste? Was denn, bitte schön, dann?

A man's true wealth is the good he does in the world.
Der wahre Reichtum eines Menschen besteht in dem, was er Gutes in der Welt tut. Gebräuchlich in ganz Nordamerika.

He who loses wealth loses much; he who loses even one friend loses more; but he who loses his courage loses all.
Derjenige, der seinen Wohlstand verliert, verliert viel; der, der auch nur einen Freund verliert, verliert mehr; doch derjenige, der seinen Mut verliert, hat alles verloren. Gebräuchlich in Illinois.

Und schließlich zur moralischen Erbauung:

The first wealth is health.
Der wichtigste Reichtum ist die Gesundheit.

Mit »W« beginnen auch zwei Begriffe, die wir nun etwas eingehender beleuchten: **wife and woman** – Ehefrau und Frau.

A nice wife and a backdoor oft' do make a rich man poor.
Eine hübsche Ehefrau und eine Hintertür machen einen reichen Mann oft arm. Gebräuchlich in New York.

He who has a fair wife needs more than two eyes.
Wer eine schöne Frau hat, braucht mehr als zwei Augen. Gebräuchlich in New York.

Ein wesentliches Element des amerikanischen Ehelebens scheint das ausgeprägte Misstrauen der Männer gegenüber ihren Frauen zu sein. Jedenfalls dann, wenn man den folgenden Aussagen Glauben schenken will:

He knows little who will tell his wife all he knows.
Derjenige, der seiner Frau alles erzählt, was er weiß, weiß nur wenig. Gebräuchlich in Wisconsin.

He who loves his wife should watch her.
Wer seine Frau liebt, sollte sie im Auge behalten. Gebräuchlich in Arkansas.

Für alle männlichen Singles noch ein guter Ratschlag vor dem geplanten Auftritt auf dem Markt der heiratsfähigen Männer:

Never seek a wife till you know what to do with her.
Suche dir niemals eine Ehefrau, bevor du nicht weißt, was du mit ihr anfangen sollst. Gebräuchlich in Ontario.

The happiest wife is not she that gets the best husband but she that makes the best of that which she gets.
Die glücklichste Ehefrau ist nicht die, die den besten Mann erwischt hat, sondern die, die das Beste aus dem macht, den sie kriegt. Gebräuchlich in New York. Sehr frei übersetzbar mit: »Eine gute Frau kann aus jedem Männermüll noch etwas Brauchbares zaubern.«

Wir befürchten, wir können auch bei den nächsten Zeilen nicht geschlechtsneutral, ausgewogen und politisch korrekt bleiben, denn auch zum Thema »Frauen« scheinen sich ausschließlich die amerikanischen Männer ihre Gedanken gemacht zu haben. Wie anders wäre es zu erklären, dass die Flutwelle der Emanzipation so spurlos an den folgenden Aussagen vorbeigerollt ist:

A woman can throw out of the window more than a man can bring in at the door.
Eine Frau kann mehr aus dem Fenster schmeißen, als ein Mann durch die Tür hineinbringen kann. Gebräuchlich in ganz Nordamerika.

A woman is the greatest contradiction of all.
Eine Frau ist der größte Widerspruch von allen. Gebräuchlich in Illinois.

A woman laughs when she can but she cries whenever she wishes.
Eine Frau lacht, wenn sie kann, aber sie weint, wann immer sie es will. Gebräuchlich in New Jersey.

Zur Versöhnung fahren wir jetzt die fälligen Gegenbeispiele auf:

An aversion against women is like an aversion 'gainst life.
Eine Abneigung gegen Frauen ist wie eine Abneigung gegen das Leben selbst. Gebräuchlich in New York.

A woman remembers a kiss long after a man has forgotten.
Eine Frau erinnert sich noch an einen Kuss, nachdem ihn ein Mann schon lange vergessen hat. Gebräuchlich in New York.

Never quarrel with a woman.
Streite dich niemals mit einer Frau. Gebräuchlich in Indiana.

Women and elephants never forget.
Frauen und Elefanten vergessen niemals. Gebräuchlich in Illinois.

Women will have the last word.
Frauen werden das letzte Wort haben. Gebräuchlich in Illinois und New York.

X

Bei »X« gibt's nix. Wir haben's probiert.

Y

Und beim »Y« sind wir eigentlich lediglich auf den »süßen Vogel **youth** (Jugend) gestoßen, dem wir einige Zeilen widmen wollen:

Youth but comes once in a lifetime.
Die Jugend kommt nur einmal im Leben. Gebräuchlich in New York. Übersetzbar auch mit: »Man ist nur einmal jung.«

A man whose youth had no follies will in his maturity have no power.
Ein Mann, dessen Jugend keine Torheit kannte, wird im besten Mannesalter keine Kraft haben. Gebräuchlich in Illinois.

Z

Nur noch eins – zum guten Schluss:

Zeal without knowledge is like fire without light.
Eifer ohne Wissen ist wie Feuer ohne Licht. Gebräuchlich in North und South Carolina.

Sie haben's geschafft. Gut gemacht. Danke schön. Sonst nichts.